Chères lectrices,

Le Brésil… Le simple nom de ce pays d'Amérique du Sud ne suscite-t-il pas en vous des envies de voyage ? N'avez-vous pas soudain envie de paresser sur des plages de sable blanc, de contempler la baie de Rio illuminée de mille feux, d'esquisser un pas de samba lors du carnaval ? Et pourquoi pas, de rencontrer un de ces hommes fiers et ténébreux, dont le regard sombre et intense semble une invitation à l'aventure ?

Pour notre plus grand plaisir, c'est dans ce pays vibrant de passion que nous emmène ce mois-ci Michelle Reid, avec le deuxième volet de la trilogie « Héritage pour trois play-boys » (Azur n° 2589). En lisant ce roman intense et prenant, vous découvrirez comment Anton, le deuxième fils illégitime d'Enrique Ramirez, doit retrouver et épouser la belle Cristina, la femme qu'il a jadis follement aimée et qui l'a trahi. Entre eux deux, dans un décor exotique et sensuel, la passion va de nouveau flamber, incandescente.

Excellente lecture,

La responsable de collection

Dans les bras d'un play-boy

MELANIE MILBURNE

Dans les bras
d'un play-boy

COLLECTION AZUR

*éditions*Harlequin

Cet ouvrage a été publié en langue anglaise
sous le titre :
THE AUSTRALIAN'S MARRIAGE DEMAND

Traduction française de
ANTOINE HESS

HARLEQUIN®

est une marque déposée du Groupe Harlequin
et Azur ® est une marque déposée d'Harlequin S.A.

Toute représentation ou reproduction, par quelque procédé que ce soit, constituerait une contrefaçon sanctionnée par les articles 425 et suivants du Code pénal.
© 2004, Melanie Milburne. © 2006, Traduction française : Harlequin S.A.
83-85, boulevard Vincent-Auriol, 75013 PARIS — Tél. : 01 42 16 63 63
Service Lectrices — Tél. : 01 45 82 47 47
ISBN 2-280-20487-8 — ISSN 0993-4448

1.

Le jour n'était pas encore levé et la chambre d'hôtel se trouvait plongée dans l'obscurité quand Jasmine se réveilla.

Elle entrouvrit un œil ensommeillé et sursauta : un homme reposait tout près d'elle, dormant paisiblement !

Les nerfs à vif, elle s'écarta de l'inconnu d'un bond.

Qui donc avait eu l'impudence de se glisser dans son lit durant son sommeil ?

Eberluée, encore tout étourdie après les festivités du mariage qui s'étaient prolongées tard dans la nuit, elle se frotta les yeux. Oh ! cela avait été un beau mariage, assurément ! Sa sœur Samantha, tout comme son nouvel époux, le charmant Finn, s'était montrée radieuse.

Leur père, qui n'était autre que l'évêque de l'Eglise protestante de Sydney, avait personnellement célébré la cérémonie. Le digne et respectable prélat avait présidé à cette union, qui l'enchantait manifestement autant que son épouse. De ses quatre filles, trois étaient à présent fort honorablement mariées.

Restait Jasmine, qui avait toujours voulu vivre librement, à sa manière, et faisait un peu figure de mouton noir de la famille.

« Ah ! cette Jasmine, quel souci ! » soupirait parfois sa mère.

Cela avait été un mariage très comme il faut, parfaitement conforme aux conventions. Une ombre, cependant, avait quelque peu terni le tableau aux yeux de Jasmine : l'insupportable Connor Harrowsmith, le témoin du marié dont il était le demi-frère, et qu'elle détestait.

Heureusement, et contrairement à son habitude, cet extravagant et imprévisible individu s'était bien comporté. Pour une fois, il avait laissé de côté son arrogance de play-boy pour jouer un nouveau rôle raisonnable : celui de témoin du marié.

Durant la cérémonie, Jasmine avait remarqué que le regard de Connor Harrowsmith s'était posé sur elle à plusieurs reprises, d'une manière insistante qu'elle avait trouvée particulièrement désagréable.

Chaque fois qu'elle avait croisé ce regard, elle avait détourné la tête et relevé le menton.

Sans doute avait-elle bu un peu trop de champagne, elle qui d'ordinaire était si raisonnable sur ce plan. Toujours est-il qu'elle avait regagné sa chambre après les festivités et plongé dans un sommeil agité.

Et voilà qu'à peine réveillée, elle se trouvait en proie à une stupéfaction totale.

Une fois de plus, elle se frotta les yeux.

Non, elle ne rêvait pas : il y avait bel et bien un homme dans son lit !

La respiration coupée, elle tenta de distinguer les traits de celui qui avait eu l'audace de venir la rejoindre, mais l'obscurité ne lui permit pas de voir de qui il s'agissait.

Elle s'était instinctivement écartée de l'intrus et écoutait avec horreur la respiration régulière de l'inconnu qui, de temps à autre, émettait les petits bruits habituels des dormeurs.

Il fallait réagir, chasser l'odieux visiteur de la nuit qui

n'avait pas hésité à pénétrer dans sa chambre et à se glisser entre ses draps !

Jasmine tendit le bras et alluma la lampe de chevet.

— Dieu du ciel ! s'exclama-t-elle en découvrant le visage du dormeur. Vous !

Les yeux écarquillés, elle regardait Connor Harrowsmith qui paraissait se réveiller progressivement, paisiblement, en toute innocence.

Il ne semblait absolument pas gêné par la situation.

Après s'être frotté un œil, il eut un sourire charmeur et murmura d'une voix douce :

— Bonjour, Jasmine. Vous avez bien dormi ?

— Sortez de ma chambre tout de suite ! ordonna-t-elle sèchement.

La considérant avec une scandaleuse ironie, il se redressa et s'appuya nonchalamment sur un coude.

Il avait vraiment l'air de s'amuser.

— Que je sorte de *votre* chambre ? questionna-t-il en appuyant de manière railleuse sur le « votre ». Vous êtes sûre que nous sommes dans *votre* chambre ?

— Evidemment ! Qu'est-ce que vous croyez ?

Elle jeta un coup d'œil dans la pièce et poursuivit du même ton furibond :

— Qu'avez-vous fait de mes affaires ? Où est ma valise ?

— Vos affaires sont dans *votre* chambre, répondit-il posément avec un sourire à la fois indulgent et moqueur.

Là-dessus, il s'étira et Jasmine, troublée, considéra l'espace d'un instant des bras nus, musclés et bronzés, puis le torse puissant qui émergeait des draps.

Elle toussota pour se débarrasser de la boule embarrassante qui venait de se former dans sa gorge. Cela fait toujours un certain effet de voir — même partiellement — le corps d'un homme nu. Surtout lorsqu'il est splendide.

— Vous vous moquez de moi ! s'exclama-t-elle, irritée au plus haut point. Je vais appeler la réception et...

Comme elle tendait la main vers le téléphone, il la retint d'une poigne ferme.

— Je vous déconseille de faire ça. Ce ne serait pas raisonnable ! assura-t-il d'un ton énergique. Vous vous êtes trompée de chambre, voilà tout.

— Pas du tout ! J'ai utilisé ma clé pour entrer. Je suis dans *ma* chambre !

— Je n'avais pas dû fermer à clé. N'importe qui pouvait entrer, avec n'importe quelle clé, expliqua-t-il avec un sourire en coin.

Il eut un regard presque complice et ajouta d'une voix câline :

— Vous êtes dans ma chambre, Jasmine. Pas dans la vôtre...

— Je ne vous crois pas !

— Dans ce cas, allez vérifier le numéro de la porte.

Elle bondit sur ses pieds, attrapa le peignoir qui se trouvait sur une chaise et l'enfila en allant d'un pas vif jusqu'à la porte qu'elle ouvrit brusquement.

Mon Dieu ! il avait raison ! Elle se trouvait bel et bien dans sa chambre.

— D'accord, concéda-t-elle avec réticence. Je me suis trompée de chambre. Mais vous n'aviez pas le droit pour autant de vous installer dans le lit où je dormais. Vous avez abusé de la situation !

Il eut un rire léger tandis qu'il se renversait sur l'oreiller, les deux mains derrière la tête, dans une attitude tout à fait décontractée.

Comme fascinée, Jasmine ne pouvait détacher les yeux des

bras nus, joliment dessinés, qui encadraient le beau visage de l'un des plus célèbres séducteurs d'Australie.

— Qu'est-ce qui vous fait dire que j'ai abusé de la situation ? demanda-t-il avec bonne humeur.

Il la dévisageait d'une manière si perçante, si provocante, qu'elle se sentit brusquement envahie par une sorte de fièvre. Elle savait qu'elle était devenue écarlate, mais heureusement, à la lumière de la lampe de chevet, son trouble ne devait pas être décelable.

Que s'était-il passé durant la nuit ? s'interrogea-t-elle avec anxiété. Elle n'avait aucun souvenir des événements ayant suivi la soirée. Probablement avait-elle bu un ou deux verres de trop. L'avait-il prise dans ses bras ? Embrassée, caressée ? Avait-il essayé de… Elle frémit en envisageant l'hypothèse extrême.

— Vous savez, Jasmine, vous ronflez, murmura-t-il d'un ton détaché.

— Certainement pas ! rétorqua-t-elle, outragée.

Il rit une nouvelle fois avec la gaieté légère qui ne l'avait pas quitté depuis son réveil.

Jasmine, de son côté, se trouvait dans un état d'esprit tout différent. Elle comprenait que cette erreur de chambre, en pleine nuit, allait très probablement lui poser un certain nombre de problèmes. Son étourderie allait déclencher une série d'événements incontrôlables, elle le pressentait.

Comme s'il devinait son angoisse, Connor Harrowsmith lança d'une voix à la fois taquine et amicale :

— Allons, Jasmine. Détendez-vous. Avec moi, vous ne risquez rien !

— Je n'en suis pas si sûre !

Une nouvelle fois, le rire joyeux se fit entendre tandis qu'il écartait d'un coup les couvertures et sortait du lit en tenue d'Adam.

Troublée, Jasmine tourna immédiatement la tête. Elle ne voulait pas s'attarder au spectacle de sa nudité.

— Qu'est-ce que vous faites ? interrogea-t-elle, mal à l'aise, la tête toujours tournée.

— Comme vous pouvez le constater, je me lève.

— Vous pourriez mettre quelque chose sur vous ! grommela-t-elle, les yeux obstinément ailleurs.

— Impossible ! Vous avez pris mon peignoir il y a un instant.

Brusquement, Jasmine reçut dans les bras un paquet de vêtements qu'elle reconnut comme étant les siens.

— Habillez-vous, dit-il. Je vous promets que je ne regarderai pas.

Elle enfila ses vêtements de la veille en toute hâte, tandis qu'il dissimulait sa nudité sous le peignoir qu'elle venait d'abandonner.

Comme elle s'apprêtait à sortir de la chambre, il lui lança gaiement :

— Etes-vous sûre de ne rien oublier ?

— Quoi donc ? répliqua-t-elle en jetant un regard agacé par-dessus son épaule.

Un sourire malicieux aux lèvres, il balançait au bout de l'index les chaussures à talons hauts qu'elle avait portées durant la soirée.

— Ah, merci ! Je les avais oubliées...

Comme elle tendait la main pour prendre ses escarpins, Jasmine fut intriguée puis perturbée, par la manière intense dont il la dévisageait.

— Vous savez, ça m'a fait vraiment plaisir de dormir avec vous, confia-t-il à mi-voix d'un ton ensorceleur.

Sans la quitter des yeux, il saisit alors son poignet d'un geste à la fois vif et précis.

12

Tout émue, troublée par cette main chaude et ferme qui l'enserrait avec délicatesse, Jasmine balbutia :

— Je... J'espère que je ne vous ai pas dérangé, cette nuit...

— Oh ! quand je disais que vous ronfliez, j'exagérais un peu ! avoua-t-il avec un sourire galant. A vrai dire, votre ronflement ressemblait plutôt à un murmure, un souffle, un bruissement de papillon...

Il eut un sourire pensif et précisa d'une voix vibrante :

— En fait, vous ne m'avez pas dérangé, Jasmine. Vous m'avez...

Bouleversée par la tonalité de sa voix, par le contact de cette main qui ne voulait pas la relâcher, elle l'interrompit nerveusement, le souffle court.

— Laissez-moi partir, maintenant. S'il vous plaît.

— Ce n'est pas le genre de chose que vous disiez durant la nuit...

Les yeux de Jasmine s'arrondirent.

— Que voulez-vous dire ? murmura-t-elle d'une voix blanche.

— Vous étiez bien moins hostile, dans le lit, poursuivit-il, énigmatique.

Un sentiment de honte la saisit brusquement et le doute l'envahit. De quelle manière s'était-elle comportée durant la nuit ? Avait-elle eu des gestes déplacés, dit des choses qu'il ne fallait pas dire, à cause du champagne qu'elle avait bu ?

Oh non ! Ce n'était pas possible. Au plus profond d'elle-même, elle avait la certitude d'être restée très sage.

— Vous êtes en train de vous moquer de moi, marmonna-t-elle d'un ton réprobateur. Je ne crois pas un mot de ce que vous dites.

Il hocha la tête avec un sourire apaisant.

13

— Pourquoi me moquerais-je de vous ? répondit-il d'un air innocent.

— Parce que c'est dans votre nature ! Vous pensez que vous êtes irrésistible et que toutes les femmes sont prêtes à craquer pour vous !

Dans sa colère, Jasmine avait presque crié. Elle bouillait d'indignation, ce qui ne sembla nullement affecter son interlocuteur qui répondit paisiblement, toujours d'une voix douce et charmeuse, mais avec une nuance de réelle tristesse :

— Est-ce donc ainsi que vous me voyez ? Je ne suis pas sûr de votre objectivité, Jasmine.

— Vraiment ?

— J'ai l'impression que vous accordez trop de crédit à certains articles qui ont paru sur moi dans des journaux peu recommandables. Vous savez, ces magazines qui adorent les potins mondains et les scandales.

— En tout cas, on vous y voit souvent, dans ces journaux, grommela-t-elle, méfiante. Et presque toujours en compagnie d'une femme, jamais la même, d'ailleurs. Vous avez systématiquement l'air de fanfaronner.

— Bah… Vous n'allez tout de même pas croire ces ragots, dit-il en secouant la tête.

— Je crois ce que je vois. Et les photos sont là pour…

Jasmine s'interrompit, car il venait de la saisir une nouvelle fois par les poignets et l'attirait vers lui.

Elle aurait dû résister, mais son corps n'obéissait pas à son cerveau. Sans qu'elle n'ait pu esquisser le moindre mouvement, elle se retrouva dans ses bras, plaquée contre son corps dont elle percevait la solide musculature à travers le peignoir.

Lorsqu'elle sentit son érection tout contre elle, elle vacilla, vaincue par un désir indéfinissable, un trouble extraordinaire.

Son corps lui parut se mettre à vivre de manière autonome, soudainement réveillé par un désir insensé.

Lorsqu'il posa ses lèvres sur les siennes, elle ne protesta pas. Au contraire, elle entrouvrit la bouche et laissa sa langue chercher la sienne. Prise dans l'étau solide de ses bras, elle demeura ainsi un long moment, enivrée par un baiser qui durait, durait, et semblait ne jamais vouloir finir.

Perdue dans la délectation de ses sensations, Jasmine en oublia totalement toute notion d'espace et de temps. Elle était transportée dans un autre monde, dans l'univers magique du désir et des jouissances sans limites.

Combien de temps restèrent-ils ainsi enlacés, soudés dans ce brûlant baiser ? Elle n'aurait pu le dire mais, lorsque leurs lèvres se séparèrent enfin, elle reprit conscience d'un coup, s'écarta de lui et murmura sur un ton de reproche :

— Vous n'auriez pas dû faire ça...

— Vous non plus, répondit-il, le regard étrangement brillant.

— Mais je n'ai rien fait, moi ! protesta-t-elle, encore bouleversée.

— Bien sûr que si. Vous avez répondu sans la moindre hésitation à mon baiser.

— Je... je ne... Vous m'avez embrassée par surprise, balbutia-t-elle. Je ne m'y attendais pas...

— Oh ! il faudra que je m'en souvienne..., assura-t-il avec un sourire malicieux. C'est donc par surprise que je parviendrai à vous embrasser.

— Ça suffit ! s'exclama-t-elle, excédée, en se dirigeant vers la porte d'un pas résolu. La comédie a assez duré !

Elle se trouvait dans un tel état d'agitation et de fureur qu'elle faillit en oublier encore ses escarpins. Elle les saisit au passage d'une main nerveuse et ouvrit la porte.

C'est alors qu'un éclair l'éblouit.

Un photographe se tenait dans le couloir et la mitraillait de flashes à répétition.

Comprenant instantanément qu'il s'agissait de l'un de ces paparazzis qui alimentent régulièrement les journaux dont ils parlaient quelques instants plus tôt, Jasmine tenta de dissimuler son visage.

Bousculant le photographe, elle se fraya un chemin et courut jusqu'à sa chambre dont elle claqua la porte avec violence, comme si le diable lui-même la poursuivait.

Haletante, le cœur cognant à tout rompre, elle demeura un moment adossée au battant, bouleversée par ce qu'elle venait de vivre.

Comment avait-elle pu ainsi se laisser aller dans les bras de ce play-boy d'opérette, de cet odieux et scandaleux personnage ?

Par-dessus le marché, des photos venaient d'être prises à la porte de sa chambre, alors qu'elle en sortait, ses escarpins à la main ! Les patrons de presse allaient certainement se délecter de ces clichés illustrant les nouvelles aventures de Connor Harrowsmith !

Quant à ses parents, l'austère évêque, et sa mère, si soucieuse des conventions sociales, Jasmine ne doutait pas qu'ils prendraient vite connaissance du scandale. On leur montrerait les photos de leur fille ; c'était la catastrophe assurée. Ses trois sœurs, si sagement mariées, allaient très probablement lui faire la morale…

Elle saisit sa valise qu'elle avait laissée dans un coin de la chambre et, en toute hâte, y jeta pêle-mêle ses vêtements. Il lui fallait quitter au plus vite cet hôtel où venait de commencer, pour elle, un dramatique épisode dont elle ne savait où il la mènerait.

*
* *

Le lundi matin, avant même la parution des journaux, la sonnerie du téléphone fit sursauter Jasmine.

Les conséquences de la nuit suivant le mariage devaient commencer à se manifester.

Non sans appréhension, elle décrocha et tint le combiné à distance de son oreille — au cas où des glapissements trop sonores se feraient entendre.

— Comment as-tu pu faire une chose pareille, Jasmine ? C'est ignoble !

C'était Caitlin, l'une de ses sœurs. Elle ne paraissait pas seulement scandalisée ; elle l'était, évidemment. Jasmine s'y était attendue durant toute la journée précédente.

— Comme si ton aventure avec Roy Holden n'avait pas suffi ! poursuivit Caitlin du même ton outré.

— Je n'ai jamais eu de véritable aventure avec Roy Hold...

— Mais comment as-tu pu coucher avec Connor Harrowsmith ? Est-ce que tu te rends compte de ce que tu as fait ? C'est insensé, Jasmine ! C'est complètement fou ! Ce type est un coureur de jupons, un play-boy dépravé ! Comment as-tu pu craquer pour un individu pareil ?

Sa sœur était lancée, et rien de ce que Jasmine aurait pu dire ne l'aurait retenue. Les lèvres serrées, le front soucieux, elle subit donc la mercuriale.

— Tu imagines dans quel état est notre père ! reprit Caitlin avec la même fougue indignée. N'oublie pas que c'est un évêque, qui a charge d'âmes ! Sa réputation, sa dignité, son prestige, sont entachés maintenant. Quant à maman, elle souffre d'une affreuse migraine et est totalement désemparée. Non, vraiment, Jasmine, tu n'aurais jamais dû te donner à Connor Harrowsmith. Pourvu que Samantha et Finn n'aient pas lu les journaux, ce matin !

— A peine deux jours après leur mariage ? J'espère

pour eux qu'ils ont mieux à faire que de lire la presse en se réveillant !

— Ah ! très drôle ! C'est facile de faire de l'esprit quand on se permet de… de…

Ulcérée, Caitlin en bafouillait ; c'était presque comique. Jasmine n'avait jamais connu sa sœur dans un tel état.

La virulence de la remontrance la poussa à se faire l'avocate du diable. Elle était de plus en plus crispée par la leçon de morale que lui infligeait sa sœur.

— Tu ne connais même pas personnellement Connor Harrowsmith, grommela-t-elle avec agacement. Tu n'as pas le droit de le juger.

— Mais enfin, tout le monde le connaît ! On le voit dans tous les journaux !

— Bah ! murmura Jasmine, excédée par tout ce prêchi-prêcha moralisateur et conventionnel, tellement familial.

« Un père évêque, ça laisse des traces, il n'y a pas de doute », songea-t-elle avec une seule envie : raccrocher au plus vite pour mettre fin à ce papotage qui devenait réellement insupportable.

— Je trouve que tu prends les choses vraiment à la légère ! s'exclama Caitlin d'un ton acide.

— Tu trouves ?

— Ah… Tu devrais avoir honte !

Pour toute réponse, Jasmine poussa un soupir exaspéré. Elle n'avait pas envie de discuter davantage. Comme elle s'apprêtait à raccrocher, elle entendit sa sœur reprendre de plus belle, du même ton agressif :

— Père est furieux, très blessé, outragé ! Il menace d'engager des poursuites contre Connor Harrowsmith si celui-ci ne fait pas immédiatement cesser le scandale.

— Il n'y a pas de scandale, que je sache ! rétorqua Jasmine,

18

hérissée par la lourdeur de cette leçon de morale qui n'en finissait plus.

— Je te rappelle que notre père est l'un des principaux membres du clergé. C'est *là* qu'il y a scandale !

— Ce que je trouve scandaleux, moi, c'est cette manière qu'ont certaines personnes de mettre leur nez dans des affaires qui ne les concernent en rien.

Jasmine en avait plus qu'assez. Cette conversation ne menait nulle part. Elle lança un bref : « Il faut que j'aille travailler », puis raccrocha d'un geste rageur.

Elle fulminait.

Tout cela par la faute de Connor Harrowsmith ! Elle avait eu, au départ, une simple étourderie : se tromper de chambre, mais c'était bel et bien lui, ce play-boy à la manque, qui alimentait le « scandale » que venait d'évoquer sa sœur.

Perdue dans ses pensées, en proie à une anxiété de plus en plus tenace, elle sursauta. Le téléphone sonnait encore.

Elle décrocha et, sans attendre, lança d'une voix rageuse :

— Si c'est encore pour une leçon de morale, inutile d'insister...

— Loin de moi l'idée de vous donner une leçon de morale, ma chère Jasmine ! répondit la voix grave, musicale, charmeuse, de Connor Harrowsmith.

Jasmine fit la grimace. Sa main se crispa sur le combiné.

— Vous avez sans doute vu les journaux du matin ? grommela-t-elle.

— Et vous ?

— Pas encore, mais on m'a informée de leur contenu. Ce n'est pas brillant. On peut dire que vous m'avez mise dans un sacré pétrin !

— J'en accepte toute la responsabilité, assura-t-il d'un ton sincère.

Très surprise, Jasmine fronça les sourcils.

— Que voulez-vous dire ?

— Comme je viens de vous l'expliquer, je suis responsable de ce qui est arrivé. C'est ma faute, je l'admets.

Jasmine n'entendait ni honte ni remords dans sa voix. Il avait énoncé la chose avec une légèreté presque joyeuse.

— Mon père est furieux, dit-elle sèchement.

— Mon beau-père également, répondit-il, imperturbable.

— Et ma mère souffre d'une horrible migraine, ajouta-t-elle.

— Cela n'a rien d'étonnant, avec tous les sermons de son mari qu'elle doit entendre à longueur de journée...

— Quant à mes sœurs, elles vont probablement cesser de me parler.

— Est-ce que vous les écoutez vraiment, quand elles vous parlent ?

Il était dans le vrai, ce qui la rendit encore plus furieuse.

— Ma famille est importante pour moi, vous savez, rétorqua-t-elle d'un ton sec.

— Vraiment ? Je vous en félicite.

Elle poussa un soupir rageur.

— Vous êtes en train de vous moquer de moi.

— Pas du tout ! Je me sens entièrement solidaire de vous, dans toute cette histoire.

— Allons donc ! Vous vous fichez de ce qui est arrivé tout autant que de moi ! Tout cela vous amuse beaucoup.

Il se mit à rire, un rire spontané, sans méchanceté, très joyeux.

— Ne croyez surtout pas que je me moque de vous, reprit-il

au bout d'un instant. Ce qui me fait rire, c'est la vie, dans son ensemble. Elle est souvent amusante, avec toutes ces singeries que l'on peut observer ! C'est la comédie humaine !

Jasmine songea soudain à la famille de l'homme qui était au bout du fil et qui paraissait si insouciant.

— Vous me disiez, il y a un instant, que votre beau-père était furieux de ce nouvel esclandre. Pensez-vous qu'il veuille vous déshériter ?

— Pour quelle raison ferait-il cela ? Je n'ai rien fait de mal ! protesta son interlocuteur avec une véhémence pleine de confiance.

— Vous avez officiellement tenté de séduire, de mettre dans votre lit la fille de l'évêque de Sydney. Ce n'est pas rien aux yeux de la communauté religieuse et sociale de notre région.

— La fille du digne évêque est-elle à ce point innocente ? N'a-t-elle pas vécu certaines liaisons dangereuses ?

Jasmine fronça une nouvelle fois les sourcils. On avait pas mal glosé sur son étrange relation avec Roy Holden, mais l'affaire n'avait pas été loin, du moins sur le plan physique. C'était resté platonique : une merveilleuse relation platonique.

— En fait, je vous téléphonais pour une raison bien précise, enchaîna Connor Harrowsmith d'une voix nettement plus sérieuse.

— Ah oui ? Et laquelle ?

— J'ai une solution pour le petit problème qui nous occupe.

— Quel genre de solution ?

— Un dénouement qui saura nous libérer des nœuds, familiaux et autres, qui nous étranglent. Qui permettra de dissiper toutes les rumeurs et médisances.

— Vraiment ? demanda-t-elle, intriguée. Une solution miracle, alors ?

Elle fut surprise par la tonalité de son gloussement lorsqu'il se mit à rire une nouvelle fois et qu'il répondit :

— En effet, on peut formuler les choses de cette manière.

— Et c'est quoi, cette solution ? interrogea-t-elle, piquée par une curiosité soudaine.

— Le mariage.

Sur le coup, Jasmine ne comprit pas.

— Le mariage de qui ? dit-elle, désorientée.

Il ne répondit pas immédiatement et il y eut un silence sur la ligne. Un silence qui révélait toute l'importance de ce qui allait suivre.

— Le nôtre, bien sûr ! murmura-t-il d'un ton plein d'assurance.

Cette fois, ce fut elle qui resta muette.

— C'est une plaisanterie ? s'enquit-elle au bout d'un moment.

— Pas du tout. Je pense que nous devons nous marier dès que possible.

— Et moi, je pense que vous devriez prendre rendez-vous avec un psy.

De nouveau, il y eut un blanc sur la ligne. Complètement tourneboulée par ce qu'elle venait d'entendre, Jasmine reprit d'une voix ferme :

— De toute façon, mes parents n'accepteraient jamais un tel mariage.

— Vous en êtes bien sûre ?

— Oh oui ! Mon père préférerait mourir plutôt que de donner ma main à Connor Harrowsmith.

22

— C'est bizarre, ce que vous dites, car j'ai eu votre père au téléphone il y a une demi-heure.

— Et alors ?

— Il m'a dit avec netteté et très fermement qu'il souhaitait que nous nous mariions dès que possible.

2.

Jasmine eut l'impression qu'elle allait s'évanouir.

Autour d'elle, tout sembla se mettre à tanguer follement et elle se sentit défaillir.

Elle se cramponna instinctivement à la table où se trouvait le téléphone, et balbutia :

— C'est… c'est complètement insensé. Nous ne nous connaissons même pas !

— Nous apprendrons à nous connaître. Et nous sommes déjà plus ou moins de la même famille, puisque mon demi-frère a épousé votre sœur. Enfin, n'oublions pas que nous avons passé une nuit ensemble !

— Je n'ai aucune intention de me marier. Et si je devais épouser quelqu'un, ce ne serait certainement pas vous.

— Comme c'est joliment dit. Vous me flattez…

— Je ne plaisante pas, cher monsieur.

— Appelez-moi Connor, ne faisons pas de manières.

— Je ne plaisante pas, Connor. Il n'est pas question que je vous épouse.

— Je vous promets d'être un bon mari.

— Ce mot n'a pas de sens, grommela-t-elle.

— Quel mot ? « Bon » ou « mari » ?

— Les deux.

Connor ne semblait nullement démonté par la farouche

opposition qu'exprimait Jasmine. Une fois de plus, il paraissait d'humeur légère, même pour une discussion qui aurait dû normalement se dérouler de manière grave : ne s'agissait-il pas d'un mariage ?

— La cérémonie sera très simple, poursuivit-il avec une assurance allègre. Pas de flonflons, pas de demoiselles d'honneur, pas de…

— Ni fleurs ni couronnes, donc ! plaisanta-t-elle amèrement.

— Un mariage tout simple, assura-t-il, plein de confiance. Vous verrez : ce sera très agréable.

— Je ne veux pas vous épouser. C'est clair ? Il n'est pas question que je…

— Quant à la lune de miel, nous pourrons nous en passer. A moins que vous n'y teniez, enchaîna-t-il, imperturbable.

— Puisque je vous dis que je ne…

— Oh, et puis si…, ajouta-t-il rêveusement. Une petite lune de miel sous les tropiques, ce serait charmant, non ?

Pour toute réponse, Jasmine écrasa le récepteur sur son socle — l'appareil était solide, heureusement —, puis elle se leva, folle de rage, en grommelant :

— Mais il se moque de moi ! Il me prend pour une stupide oie blanche !

Totalement perturbée, elle secoua la tête et finit par se rasseoir, déroutée au plus haut point.

Comme elle essayait de reprendre son calme afin de réfléchir à cette absurde situation qui bousculait soudain sa vie, la sonnerie du téléphone retentit une nouvelle fois.

Ce devait être Connor qui rappelait. Décidément, il ne paraissait pas près de la lâcher. Quelle opiniâtreté ! Quel aplomb !

Elle décrocha d'un geste nerveux et cria :

— Ça suffit, maintenant ! Je vous ai assez entendu ! Allez au diable !

Un toussotement discret se fit entendre sur la ligne et Jasmine se figea. Ce n'était manifestement pas Connor.

Elle fit un effort pour adopter une voix plus douce et lança un « Allô » à l'intonation aussi accueillante que possible.

Cela valait mieux, car c'était son père qui appelait.

— Ma chère enfant…, commença-t-il avec son habituelle onctuosité cléricale.

— Père, c'est vous !

— Je pensais que tu me donnerais un coup de téléphone, après tout ce qu'il vient de se passer, dit-il d'une voix suave où perçaient toutefois le reproche et la contrariété.

— Justement, répondit-elle, la gorge nouée. J'avais l'intention de mettre les choses au point. Il s'agit d'un terrible malentendu. Je vous assure que je n'ai jamais…

— Ta pauvre mère est dans un état lamentable depuis qu'elle a appris le scandale ! Presque tous les journaux ont publié cette… cette terrible photo de toi. Je ne sais pas si tu te rends compte de la gravité de l'événement. J'ai dû appeler le Dr Pullenby pour la migraine de ta mère.

— Mais ce n'est pas ma faute, père ! Je viens de vous le dire : il s'agit d'un affreux malentend…

— Ne me raconte pas que le démon a été le plus fort, que tu as cédé, malgré toi… C'est le genre de confession que j'entends à longueur de journée ! La dérobade serait trop facile.

— Je connais à peine Connor Harrowsmith. Je l'ai à peine aperçu au mariage, et…

— Au moins propose-t-il une issue raisonnable. C'est un soulagement pour ta mère et moi.

— « Une issue raisonnable » ? répéta-t-elle lentement, abasourdie.

Jasmine comprenait parfaitement que le terme désignait le mariage. Ni plus ni moins. Or, il n'était pas question qu'elle entre dans ce jeu-là.

— Ce n'est pas moi qui célébrerai la cérémonie, précisa l'évêque d'une voix digne. Ce ne serait pas convenable, compte tenu des circonstances… Tu vois ce que je veux dire ?

Oh ! ce qu'elle pouvait parfois détester ces circonlocutions !

Un soupir rageur lui échappa, et tant pis si son évêque de père l'avait entendu.

Une colère sourde et puissante la faisait trembler. Aussi est-ce d'une voix nette et cassante qu'elle annonça :

— Il n'est pas question que j'épouse cet homme.

— Il n'est pas question que tu ne l'épouses pas, murmura l'évêque avec une intonation menaçante.

La main de Jasmine étreignait hargneusement le combiné. Les dents serrées, elle marmonna :

— Je ne marierai pas.

— Si.

— Non. Il n'en est pas question, père.

— Si tu renonces à ce mariage, tu ne nous verras plus jamais, ni ta mère ni moi.

Jasmine n'en croyait pas ses oreilles. Les conventions sociales primaient donc, pour son père, sur les liens familiaux ?

C'était ahurissant, tout simplement révoltant !

Elle resta un long moment muette de stupeur. Puis l'évêque reprit à mi-voix, sur un ton plus doux :

— Tu m'as bien entendu, Jasmine ?

— Je vous ai parfaitement entendu, père, murmura-t-elle d'une voix blanche.

— Tant mieux, parce que cette histoire pourrait nous faire un tort considérable. J'ai eu une longue explication avec l'archevêque pas plus tard que ce matin. Il souhaite que tu épouses Harrowsmith le plus tôt possible. Dans moins d'un mois, a-t-il précisé. Pour ma part, je voudrais même que le mariage ait lieu dès la semaine prochaine.

Jasmine eut l'impression que son père lui écrasait le cœur d'une main sans pitié.

— Il n'est pas impossible que tu portes déjà l'enfant de cet individu, marmotta l'homme d'Eglise d'un ton glacial.

En d'autres circonstances, Jasmine aurait rétorqué d'une pirouette, en évoquant la grossesse de la Vierge Marie ; mais là, elle n'avait vraiment pas envie de rire.

— Evidemment, conclut l'austère évêque, ce Harrowsmith n'est pas le mari que je souhaitais pour toi. Cependant, le fait d'avoir un mari… difficile te servira peut-être de leçon. Du moins je l'espère.

Jasmine se sentit soudain vidée de toute force, de toute vie. Son abattement était total.

— Il vaut mieux que tu restes à l'écart de la famille dans les jours qui viennent, tu le comprendras aisément. Ta mère est très en colère ; quant à moi, je pense que tu as besoin de réfléchir.

Sans attendre de réponse, il raccrocha.

Jasmine resta immobile un très long moment, le récepteur à la main, les yeux dans le vague, l'esprit bourdonnant.

Pour une simple erreur de numéro de chambre d'hôtel, sa vie venait de basculer dans le drame le plus total.

C'est dans une sorte de brouillard qu'elle se rendit à son travail. Sa profession, qui consistait à s'occuper de cas sociaux difficiles au sein d'un dispensaire, était d'ordinaire délicate. Ce jour-là, elle se révéla au-dessus de ses forces.

Dans un couloir, elle croisa Todd, l'un de ses collègues.

— Je ne savais pas que nous avions une star parmi nous, plaisanta-t-il avec un sourire amical et moqueur.

Jasmine répondit par un sourire en coin, quelque peu amer.

Il lui tendit le journal qu'il venait de parcourir. La photo se trouvait en page 10.

On ne pouvait pas dire que le cliché la flattait particulièrement. Jasmine avait l'air plutôt ahurie, avec des yeux arrondis par la surprise, et l'une des bretelles de son bustier avait glissé. Elle tenait de la main gauche une paire d'escarpins.

Elle rendit le journal à son collègue avec un geste furieux.

— Ah ! je pourrais le tuer ! s'exclama-t-elle, hors d'elle.

— Qui ? Le photographe ?

— Non. L'homme qui était avec moi dans le…

Elle allait dire « dans le lit », mais se reprit.

— … dans la chambre, dit-elle d'un ton méprisant.

Comme Todd la dévisageait avec le plus grand étonnement, elle marmonna en secouant la tête :

— Ce n'est pas ce que tu penses !

— Je ne pense rien, protesta Todd en écartant les mains dans un geste d'innocence.

— Je le hais ! Mais je le hais ! répéta-t-elle d'une voix sourde.

— Pour une fille d'évêque, tu as des mots pas très chrétiens, Jasmine !

— A cause de cet individu je suis à présent la honte de ma famille. C'est la honte ! Tu comprends ? Ah ! j'en ai assez, assez, assez…

Todd la considéra un moment avec des yeux pleins d'amitié et de compassion. Il la connaissait suffisamment pour savoir quelle femme exceptionnelle elle était.

— Tu devrais changer d'air quelque temps, Jasmine,

conseilla-t-il d'une voix affectueuse. Ne t'inquiète pas pour le travail : je m'occuperai des personnes que tu dois voir.

Touchée par la proposition, Jasmine songea qu'il avait raison. Pourquoi ne pas s'évader quelques jours au bord de la mer, dans la maison qu'on lui prêtait à Pelican Head, sur la côte sud de la région ? Elle pouvait disposer de cette maison à son gré, et s'y rendait de temps à autre pour se ressourcer.

— Je ne dis pas non, Todd. C'est vraiment gentil à toi de…

— C'est normal, dit-il d'un ton bourru, avec un sourire plein de bonté.

Jasmine avait emporté un petit sac de voyage qu'elle déposa dans l'entrée.

Elle avait besoin de marcher près de la mer, de se calmer, de se retrouver.

Après avoir fermé la petite maison, elle dissimula la clé à sa place habituelle, sous un tas de bois, puis descendit vers la plage toute proche.

La brise marine lui caressait le visage, faisant voler ses cheveux. Elle les noua derrière sa tête et continua de marcher d'un bon pas, en respirant profondément.

Comme c'était revigorant ! Des forces nouvelles revenaient progressivement en elle tandis qu'elle avançait sur le sable, les yeux perdus sur le mouvement des vagues.

Elle songeait naturellement à l'épisode qui venait de bousculer sa vie, à la cascade d'événements consécutifs à la nuit du mariage. Tout s'était brusquement écroulé autour d'elle, à la manière d'un château de cartes qui s'effondre.

Oh ! elle avait à coup sûr tiré la mauvaise carte en entrant dans la chambre de Connor Harrowsmith ! Et tout ce qui avait suivi n'avait été que catastrophes.

Elle en voulait énormément à cet individu qui se moquait d'elle et jouait avec elle comme un chat avec une souris. Il avait le culot de vouloir l'épouser ! Sans même lui demander son avis ! Comme si elle n'était qu'un objet qu'on choisit de s'offrir et d'installer chez soi...

Pourrait-elle épouser un individu pareil ? Sûrement pas ! Ce n'était pas le genre d'homme qu'on épouse. Avec toutes ses maîtresses, toutes ces actrices avec lesquelles il aimait s'afficher, avec tout son argent, ses caprices, ses fanfaronnades, il était tout simplement ridicule.

Sans intérêt.

Odieux.

Comme elle songeait à l'imbroglio dans lequel elle venait de tomber, à ce piège qui se refermait sur elle, son attention fut attirée par une silhouette à une cinquantaine de mètres d'elle.

Les promeneurs étaient rares dans cette région éloignée, et elle n'avait aucunement l'intention de faire connaissance avec l'inconnu qui approchait. Pour parler de la pluie et du beau temps ? Certes non ! Elle avait envie d'être seule, à l'écart de toute agitation, loin des humains qui sont souvent tellement compliqués !

Elle voulut courir, mais le sable lourd s'enfonçait sous ses pieds, freinant sa progression.

Une minute plus tard, le marcheur arrivait à sa hauteur.

C'était Connor Harrowsmith !

— Qu'est-ce que vous faites ici ? s'exclama-t-elle, furieuse. De quel droit venez-vous m'importuner ?

Il eut encore une fois ce sourire indulgent et sûr de lui qui crispait tant Jasmine.

— Je me balade, répondit-il simplement. J'aime beaucoup Pelican Head.

— Pelican Head ? Comme par hasard ! Juste l'endroit où je me trouve alors qu'il y a plus loin des kilomètres de plages désertes.

— Il fallait que je vous voie, dit-il d'un ton mystérieux.

— Allez-vous-en ! Je n'ai aucune envie de vous voir. Nous n'avons rien à nous dire.

— Mais si, justement. J'ai une nouvelle importante pour vous.

— Je m'en moque.

— C'est important, Jasmine...

— Laissez-moi.

Elle avait repris sa marche d'un pas nerveux, en direction de la petite maison qui devait lui servir d'abri.

— Cet endroit est charmant, commenta Connor d'un air enjoué. Cette maison tout près de l'eau, loin de tout, c'est merveilleux...

Jasmine se tourna d'un bloc vers lui et demanda sèchement :

— Comment avez-vous su que j'étais ici ? Vous me suivez ou quoi ?

Il resta sans répondre, le visage lisse, énigmatique. Puis il confia d'une voix mesurée avec un sourire complice :

— Ne vous inquiétez pas. Je ne révélerai votre cachette à personne. Mais c'est bizarre, tout de même, cette façon de vous envoler. Vous ne devriez pas disparaître comme cela, sans prévenir personne. Cela pourrait être dangereux pour vous...

— L'endroit n'était nullement dangereux avant que vous n'arriviez, grommela-t-elle avec irritation.

— Oh ! n'ayez crainte ! Je saurais vous protéger s'il se

présentait un quelconque danger, assura-t-il avec détermination.

— Je n'ai pas besoin de votre protection, rétorqua-t-elle, hautaine.

— Il se peut que vous changiez d'avis lorsque je vous aurai parlé d'un certain article paru dans la presse de ce matin.

Jasmine frissonna. Décidément, la presse devenait sa bête noire.

— Encore un article sur vous et moi ? interrogea-t-elle, alarmée.

— Non. Cette fois on ne parle pas de moi. Il s'agit d'une interview de la femme de Roy Holden.

— Mon Dieu !

Comme Roy Holden l'avait fréquentée quelque temps, sa femme, très certainement, devait vouloir se venger de ce qu'elle considérait comme une idylle passée. Or, il ne s'était agi, en réalité, que d'une grande et belle amitié.

Perturbée par cette nouvelle ombre qui noircissait son horizon, Jasmine demeura quelques instants sans voix.

Elle fit un effort pour se ressaisir et marmonna entre ses dents :

— Je ne vois pas en quoi cet article vous concerne, vous…

— Vous êtes maintenant ma fiancée. Tout ce qui vous concerne me touche également.

— Je ne suis pas votre fiancée ! s'écria-t-elle avec véhémence.

— Voyons, ma chère, vous savez très bien que si vous ne m'épousez pas avant un délai d'un mois, votre père vous rejettera de sa famille.

Elle le dévisagea, ébahie. Connor venait d'employer les mêmes mots, les mêmes menaces que son père au téléphone.

— Vous ne songez pas sérieusement à m'épouser ? demanda-t-elle d'une voix inquiète.

— Je n'ai pas le choix, rétorqua-t-il non sans une certaine sécheresse.

— Cela arrange sans doute vos affaires, commenta-t-elle avec une rage sourde.

— C'est surtout les vôtres que cela arrange, Jasmine. Si vous ne m'épousez pas, vous serez rejetée par toute votre famille : père, mère, sœurs, sans oublier les beaux-frères, et je ne parle pas des cousins, cousines…

Tout en échangeant ces propos, ils escaladaient à présent le haut de la dune afin de rejoindre le chemin principal bordant la plage.

— Tiens, nous avons de la visite ! murmura Connor. Ne bougez surtout pas.

Ne voyant personne dans les environs, Jasmine ne comprit d'abord pas l'avertissement qu'il lui lançait. Puis, soudain, elle aperçut le serpent brun-noir qui ondulait à quelques pas d'eux.

Affolée, elle se précipita dans les bras de Connor, une manière de préférer la peste au choléra.

— N'ayez pas peur, il ne nous veut pas de mal, assura Connor tandis qu'il la tenait serrée contre lui. Il est à la recherche de geckos et se moque complètement de nous.

— Je déteste les serpents ! dit-elle, toute tremblante.

— Plus de peur que de mal…, commenta-t-il avec son habituelle assurance.

— Merci, murmura-t-elle, enfin consciente de la protection qu'il venait de lui offrir.

— Je vous en prie, répondit-il avec son sourire si charmeur.

« Charmeur de serpents, songea-t-elle en frissonnant. Cet homme n'a peur de rien. Quel étrange personnage ! »

Une de ses sœurs avait un jour expliqué à Jasmine que Connor avait perdu sa mère lorsqu'il était tout petit et qu'il avait vécu une jeunesse solitaire et difficile.

Elle ne résista pas à la curiosité et, d'une voix aussi détachée que possible, demanda :

— Est-ce que votre famille a aussi mal réagi que la mienne à ces photos qui viennent de paraître dans les journaux ?

— Oui. On m'a même menacé de me déshériter de la fortune laissée par ma mère. Les choses sont claires : si je ne me marie pas, mon héritage me passera sous le nez.

Jasmine fronça les sourcils, pensive.

— A présent, je comprends mieux votre insistance — je devrais dire votre acharnement — pour le mariage. Mais ne possédez-vous pas suffisamment d'argent par vous-même pour ignorer ce chantage ?

— Je ne peux disposer de la fortune maternelle qu'à la condition que je me marie. Je n'ai pas le choix. C'est rédigé en bonne et due forme par-devant notaire.

Jasmine, qui comprenait mieux la situation, scrutait le visage de Connor avec un étonnement grandissant.

— Voilà donc pourquoi vous êtes déterminé à m'épouser ?

— C'est l'une des raisons, admit-il avec un sourire plein de mystère.

— Le problème, c'est que je n'ai absolument pas l'intention de me marier, murmura-t-elle, désemparée.

Ils marchèrent sans parler quelque temps, puis Connor reprit avec une expression soucieuse :

— Que comptez-vous faire avec votre famille ? Etes-vous prête à rompre avec eux ?

Elle haussa les épaules.

— On verra bien, dit-elle, le visage assombri.

— Et le mini-scandale de l'affaire Holden, votre ancien flirt ?

Jasmine le fusilla du regard.

— Ce n'était pas un flirt ! Et puis, j'en ai vu d'autres, commenta-t-elle froidement. Il n'est pas question que je cède à cette pression-là *aussi*. Je n'ai aucune envie de me marier, et je ne me marierai pas.

Ils étaient à présent sur le sentier, s'arrêtant de temps à autre pour se faire face, lorsque leur dialogue devenait particulièrement tendu.

— Vous êtes vraiment une rebelle au mariage, remarqua Connor après quelques minutes.

— Le mariage n'est pas ma tasse de thé. Je ne me vois pas à longueur de journée devant un fourneau, une machine à laver ou une planche à repasser…

— Le mariage n'est pas uniquement cela ! protesta-t-il en riant. Il existe des mariages d'une nature toute différente !

Elle tourna la tête, épatée.

— Ah bon ?

Il eut de nouveau un rire amusé.

— Quelle étrange femme vous faites ! assura-t-il avec une expression admirative.

Tandis qu'elle marchait à côté de lui, Connor respirait le parfum de ses cheveux, un arôme très envoûtant, délicieux mélange de paille et de miel.

Il n'avait jamais rencontré une femme aussi étonnante, aussi charmante. Elle était différente de toutes celles qu'il avait connues. Il pensa que sa mère aurait tout à fait approuvé Jasmine. A coup sûr, elle l'aurait adoptée sans la moindre hésitation. Jasmine était comme une bouffée d'air frais comparée à toutes ces créatures ternes et artificielles qu'il avait croisées au cours des dernières années.

Jasmine avait son caractère certes, mais, sous ses dehors

agressifs et parfois hostiles, Connor devinait un être plein de tendresse et de délicatesse, une femme prête à aimer passionnément.

Il songeait à l'intense amour qu'ils pourraient peut-être vivre un jour, tandis qu'ils avançaient sur ce sentier parsemé de plantes marines.

— Combien de temps comptez-vous rester ici ? s'enquit-il alors qu'ils arrivaient en vue de la maison de Jasmine.

— Un jour ou deux, répondit-elle, évasive.

— Je me suis garé pas très loin.

— Comment saviez-vous que je m'étais réfugiée ici ? demanda-t-elle avec une certaine méfiance.

— C'est une histoire assez compliquée. En fait, il y a un certain temps que je suis à la recherche d'une résidence dans cette région que j'adore. Un agent immobilier m'a fait connaître une maison qui, par extraordinaire, se trouve non loin de celle-ci.

— De laquelle s'agit-il ?

— La grande demeure qui est un peu à l'abandon, vous savez : en contrebas de la route qui mène ici…

— Ah, je vois ! murmura-t-elle, déconcertée.

C'était une vieille maison que Jasmine connaissait de loin, sans avoir jamais eu envie d'y entrer. Une sorte de tristesse, d'abandon, de mystère se dégageait de cet endroit qui donnait l'étrange impression d'avoir été habité par une personne ou des gens désespérés.

Pourquoi avait-il choisi une maison aussi sinistre ? Et de quel droit venait-il s'installer à quelques centaines de mètres de son cher refuge ?

— Vous exagérez vraiment ! bougonna-t-elle, furieuse, au bout d'un moment.

— Et pourquoi donc ? répondit-il d'un air innocent.

— Vous vous appropriez progressivement tout mon domaine :

à la fois ma vie personnelle et aussi mon territoire, celui où je veux être indépendante. Oui, Connor, vous abusez. Vous êtes un envahisseur !

Il écarta les bras dans un mouvement quelque peu mélodramatique, signifiant qu'elle réagissait de manière bien excessive.

— Voyons, Jasmine, je n'ai nullement l'intention de vous envahir.

— Mais quand donc me laisserez-vous en paix ? J'en ai assez de vous, assez !

Elle avait répété ces derniers mots avec une rage sourde.

— Et sachez une chose, Connor. Une fois pour toutes. Rien au monde, entendez-vous bien ? Rien au monde ne me forcera à vous épouser. Je ne serai jamais votre femme !

Puis elle tourna brusquement les talons et courut vers sa petite maison, des larmes de colère plein les yeux.

Elle savait qu'il n'allait pas tarder à réapparaître, et cette pensée ajoutait encore à sa désespérance.

Après avoir tourné en rond pendant près d'une heure dans son refuge, Jasmine décida que le mieux était de partir sans tarder. Elle éviterait ainsi de se retrouver nez à nez avec Connor Harrowsmith qui risquait de se manifester d'un moment à l'autre.

Elle jeta en désordre les quelques affaires qu'elle avait emportées dans le coffre de sa voiture et prit la route du retour.

Son appartement lui parut bien étouffant après le grand air du bord de mer.

Lorsque le téléphone sonna, elle grommela pour elle-même :

— Ah non ! Qu'on me laisse tranquille... Qu'on m'oublie !

La sonnerie du téléphone se faisant insistante, elle finit par décrocher à contrecœur.

— Jasmine ?

C'était sa mère, et elle semblait accablée.

— Bonjour, maman.

— Il faut que tu l'épouses, Jasmine. Je t'en prie, ma chérie ! Si tu n'as pas d'autres raisons, fais-le au moins pour moi.

— Mais...

— Ton père, à cause de toi, se trouve dans une situation très délicate. Il est question qu'on lui refuse le titre d'archevêque qu'on lui avait promis depuis un certain temps.

— Le titre d'archevêque..., répéta Jasmine, l'esprit en déroute, le cœur meurtri.

En d'autres circonstances, la situation eût été plutôt comique. Aujourd'hui, elle était tragique.

— Je t'assure que ce qui arrive n'est pas ma faute, assura Jasmine, anéantie.

— Tout est ta faute ! Tout !

Les dents serrées, Jasmine se raidit brusquement. C'était trop injuste ! Existait-il, dans cette ville, une personne, une seule, à même de la comprendre ? Il lui semblait que le monde entier se liguait contre elle.

— Ton père a décidé un ultimatum, reprit sa mère d'un ton menaçant.

Jasmine émit un soupir rageur et répondit sèchement :

— Je t'écoute.

— Il refuse de te voir si tu n'épouses pas Connor Harrowsmith.

— C'est ce que j'avais cru comprendre. Et toi, maman ? Quelle est ta position dans cette histoire ? Refuses-tu aussi de me voir si je ne l'épouse pas ?

Le silence qui suivit fut plus éloquent que n'importe quel mot, n'importe quel cri.

Jasmine poussa de nouveau un soupir, un long soupir plein d'amertume et de tristesse.

— D'accord, murmura-t-elle enfin d'une voix sans timbre. J'épouserai Connor Harrowsmith.

3.

Le lendemain, Connor attendait Jasmine devant chez elle.

Sans doute lui avait-on fait savoir qu'elle avait changé d'avis et donné son accord pour le mariage.

Il était appuyé contre sa luxueuse Maserati dans une position à la fois nonchalante et distinguée.

En la voyant sortir du centre social où elle travaillait, se redressa d'un coup.

Il était vêtu de manière plus élégante que d'habitude, probablement parce qu'il avait eu un rendez-vous professionnel, et portait un pantalon noir qui paraissait allonger encore ses jambes. Le costume et la cravate étaient très chic tout en restant discrets.

L'élégance suprême accoudée à une Maserati brillante comme un miroir.

— Bonjour, Jasmine ! lança-t-il joyeusement en venant à sa rencontre.

— Que faites-vous ici ? demanda-t-elle en se moquant des conventions de politesse.

— A votre avis ? rétorqua-t-il avec un sourire jusqu'aux oreilles.

Elle se dit qu'il était vraiment très bel homme, mais ne voulut ni s'en soucier ni s'en réjouir. Si elle avait été forcée de donner son accord pour l'épouser, cela n'impliquait pas pour autant qu'elle devait tomber à ses genoux.

— Ce que c'est agaçant, cette manie de répondre aux questions par d'autres questions ! grommela-t-elle en haussant les épaules. Je suppose que vous êtes venu me mettre au doigt la symbolique bague de fiançailles ?

— Exactement, confirma-t-il d'une voix posée.

— Vous plaisantez ?

— Pas du tout, dit-il en sortant une petite boîte de sa poche. Ouvrez. Cette bague appartenait à ma grand-mère. On fera rectifier le diamètre si nécessaire.

Jasmine ouvrit l'écrin et resta bouche bée.

— Elle est belle, n'est-ce pas ? murmura-t-il tout près de son oreille. Passez-la donc à votre doigt !

Elle saisit avec deux doigts hésitants le superbe bijou : un magnifique rubis entouré de petits diamants.

Comme elle hésitait encore, il insista avec douceur.

— Elle est pour vous, Jasmine.

— Elle est sublime… Elle… elle doit valoir une fortune, bredouilla-t-elle, impressionnée.

— Sans doute, répondit-il d'un air évasif.

Jasmine était très embarrassée. Elle passa la bague à son doigt d'un mouvement rapide, puis la retira aussitôt et la remit dans son écrin. Il lui semblait sacrilège de porter ce bijou dans les circonstances qui étaient celles de ce mariage.

Elle enfouit l'écrin dans sa poche et leva les yeux vers Connor qui la contemplait avec un attendrissement non feint.

— Vous voulez prendre un verre ? demanda-t-elle tout en fouillant le fond de son sac à la recherche de ses clés.

— Avec plaisir.

Après un cadeau aussi princier, la moindre des politesses consistait — au moins — à lui offrir quelque chose à boire.

Elle le précéda dans l'escalier jusqu'à son appartement situé au dernier étage d'un vieil immeuble en espérant qu'il ne serait pas choqué par la peinture qui s'écaillait ici et là.

Son appartement était modeste, lui aussi. Lorsqu'elle eut ouvert la porte, elle s'étonna de l'entendre dire d'une voix aux accents sincères :

— Mais c'est tout à fait charmant, chez vous, Jasmine ! Depuis combien de temps vivez-vous ici ?

— Depuis trois ou quatre mois seulement. C'est commode, d'habiter là : le dispensaire n'est qu'à deux pas.

— Ah oui ! s'exclama-t-il, pensif. Le centre social... On m'a vaguement parlé de ce travail. Qu'y faites-vous exactement ?

— De la réinsertion sociale. Ce n'est pas simple, comme vous pouvez l'imaginer. Mais... qui vous a dit que je faisais ce métier ? Mon père ?

— Oh non ! Pas votre père. Il était bien trop préoccupé par d'autres problèmes pour évoquer votre profession.

Jasmine n'en doutait pas.

— Vous avez eu droit au sermon traditionnel sur le Bien et le Mal ? questionna-t-elle, un sourire caustique au coin des lèvres.

— Votre digne père et moi avons abouti à une impasse totale, expliqua Connor en esquissant une moue méprisante.

— A propos de quoi ? s'enquit-elle, piquée par la curiosité.

— De vous.

— Moi ?

Elle le dévisagea avec stupeur. Que s'était-il passé entre l'évêque et l'homme d'affaires ? Sur quel point étaient-ils en désaccord ?

— J'ai eu l'impression que votre père ne vous comprend absolument pas, reprit Connor en fronçant les sourcils.

Déconcertée, elle murmura d'une voix mal assurée :

— Pourriez-vous être un peu plus précis ?

Connor, qui venait de s'asseoir dans un fauteuil bancal qu'elle lui avait proposé, croisa paisiblement ses longues jambes.

— Au sein de votre famille, vous semblez être une étrangère, confia-t-il en la fixant d'une manière intense et troublante.

— Qu'est-ce qui vous fait dire ça ? demanda-t-elle, le cœur battant soudain une chamade sauvage.

Il la considéra un long moment sans rien dire, d'un regard précis et bienveillant. Les sourcils légèrement froncés, il semblait méditer, réfléchir intensément.

Jasmine s'était assise sur le bord d'un vieux canapé, prête à se lever d'un instant à l'autre. Toujours sur la défensive, elle ne souhaitait pas que leur conversation se prolonge trop longtemps.

Enfin il rompit le silence qui persistait de manière presque gênante et déclara sur un ton mesuré :

— Vos cheveux...

— Eh bien ? Qu'ont-ils, mes cheveux ? demanda-t-elle en passant instinctivement une main sur son front.

— Ils sont châtains et bouclés.

— Vous n'aimez pas cette couleur ?

— Oh si ! Beaucoup ! Mais lorsque l'on vous compare à vos sœurs, la différence est flagrante : toutes les trois sont blondes comme les blés.

— Et alors ?

— Vos parents ont également des cheveux blond clair.

Elle eut un rire insouciant et balaya l'air d'un geste désinvolte.

— Je suis peut-être un rejeton archaïque d'ancêtres aux cheveux sombres... Vous connaissez la loi de Mendel, la loterie génétique et tout ça...

Le regard de Connor était toujours aussi grave. Il ne la quittait pas des yeux.

Troublée, Jasmine décida de changer de sujet et lança gaiement :

— Que voulez-vous boire ? Je suis désolée, mais je n'ai pas d'alcool à vous proposer. Je n'en bois presque jamais.

— N'importe quoi.

— Un jus de fruits ? Un café ? De l'eau gazeuse, de l'eau plate ?

— Un verre d'eau plate. Ce sera parfait, merci.

Elle se leva et alla chercher deux verres qu'elle remplit d'eau minérale.

Comme elle lui en tendait un, il le prit délicatement, le posa, puis la saisit par le bras d'un geste souple.

— J'ai encore à vous parler, Jasmine. Il faut que nous préparions notre mariage.

Elle se dégagea en grommelant :

— Arrangez ça comme vous le souhaitez.

Elle faillit ajouter : « Ce n'est pas mon affaire », mais se retint et ajouta :

— Je me contenterai d'un mariage simple. Le plus simple possible. Nous signons le registre et nous disparaissons dans la nature. Je ne veux pas d'invités.

— Et les photographes ?

— Pas de photographes.

— Ce serait regrettable. Les enfants, un jour, auront envie de voir les photos du mar...

— Les enfants ? l'interrompit-elle, interloquée. Quels enfants ?

— Mais les nôtres, naturellement !

45

Une étrange sensation, à la fois douce et chaude, envahit soudain Jasmine. Elle eut l'impression que son ventre tressaillait secrètement à l'évocation de futures maternités.

— Si vous croyez que notre mariage sera « consommé », vous vous illusionnez tout à fait, répondit-elle toujours sur la défensive.

Il haussa un sourcil sceptique et lui sourit avec indulgence.

— Ne soyez pas si négative, Jasmine. Vous ne savez pas de quoi sera fait l'avenir.

— Je sais en tout cas que je n'ai aucune envie de vous épouser. Si j'y consens, c'est uniquement dans le but d'éviter un drame familial. N'allez donc pas échafauder des plans extravagants pour ce qui nous concerne.

— Je vous assure que je serai le plus adorable des maris, assura-t-il avec obstination.

— Oh ! par pitié, ne dites pas n'importe quoi ! Quand donc cesserez-vous de vous moquer de moi ?

— Je ne me moque pas de vous, Jasmine. Je vous exprime simplement mes sentiments et mes intentions.

Il se leva, et la pièce parut soudain plus petite aux yeux de Jasmine. Il s'approcha tout près, tendit la main dans un geste très délicat, et caressa sa joue droite du bout des doigts ce qui produisit comme un frôlement de papillon sur sa peau.

Ce geste déclencha immédiatement un étrange sentiment chez Jasmine. Elle eut l'impression que l'atmosphère de son appartement venait de s'enrichir d'une subtilité nouvelle, comme si un mystérieux parfum, particulièrement excitant, venait de transformer l'air.

Elle perçut aussi la chaleur et le magnétisme qui émanaient de cet homme grand et solide qui se penchait à présent vers elle avec un sourire plein de douceur et de tendresse.

Il lui sembla assister à un ralenti, comme on en voit au cinéma. Le temps, en effet, sembla se suspendre tandis que la tête de Connor se penchait vers elle, et que ses lèvres s'approchaient tout doucement des siennes.

Les battements de son cœur, eux aussi, semblèrent s'arrêter.

C'est à peine si les lèvres de Connor frôlèrent les siennes, paraissant jouer avec ses lèvres à elle, les caressant voluptueusement dans un mouvement aérien, très lent, très léger.

Elle eut brusquement une folle envie de cette bouche qui restait comme à une distance inaccessible, et entrouvrit les lèvres.

Lorsque leurs lèvres fusionnèrent enfin et qu'ils échangèrent un vrai baiser, plein de passion et d'ardeur, Jasmine saisit avec une sorte de fureur les cheveux de Connor comme on s'accroche à une crinière. Elle se cramponnait à lui, le retenait contre elle.

Leurs corps à présent plaqués l'un contre l'autre s'animèrent d'un mouvement qui constituait comme une danse, un prélude à l'amour, tandis que leurs bouches restaient soudées.

Contre son ventre, Jasmine percevait le dur et ardent désir de cet homme vigoureux qui la serrait dans ses bras avec ivresse.

Pour la première fois depuis leur rencontre, Jasmine comprit qu'elle appartenait à cet homme. Tout son être était tendu vers lui, chaque cellule de son corps vibrait d'une ardeur nouvelle qui générait une jouissance inouïe. Elle avait l'impression qu'une lave bouillante coulait dans ses veines, que des flammes léchaient sa peau.

Et pour la première fois également, elle découvrait la puissance de Connor, cette singulière et ardente masculinité qui était la sienne et qu'elle avait refusé de voir jusqu'alors.

Elle se sentit totalement conquise, totalement à la merci de cet homme qu'elle avait auparavant obstinément repoussé, autant par crainte que par fierté.

Elle se donnait entièrement à lui, et sans doute comprit-il cet extraordinaire sentiment, car il modifia sa position. Ses lèvres abandonnèrent celles de Jasmine et se posèrent sur son cou, ce qui procura de délicieux frissons à la jeune femme.

D'un geste naturel, il dégrafa les trois boutons de son chemisier, de manière à dégager ses seins encore prisonniers du soutien-gorge. Ses lèvres parcoururent un instant la peau nue qui s'offrait dans toute sa douceur et sa tiédeur.

Puis, doucement, la main de Connor se plaça sous le menton de Jasmine afin de le relever avec une douce autorité pour lire dans ses yeux.

Elle fut bien obligée de faire face à son regard dont l'éclat et l'intensité la bouleversèrent.

— Jasmine, murmura-t-il d'un ton vibrant. La plupart des hommes, dans la situation où je me trouve, iraient jusqu'au bout sans hésiter. Mais quelque chose me retient. Il me semble que ce n'est pas encore le moment.

Le cœur battant, la respiration courte, Jasmine le dévisagea avec stupeur. Une terrible frustration l'envahit.

— Je vous promets que nous reprendrons ce... cette rencontre, assura Connor, lui aussi troublé. Je vous en donne ma parole.

Il s'écarta d'un pas.

— Je dois m'en aller, maintenant... Ça ira, pour vous ? ajouta-t-il avec un soupçon d'inquiétude dans la voix.

L'amertume et la fierté la poussèrent à répondre sèchement :

— Aucun problème.

Pensait-il avoir affaire à une obsédée sexuelle qui allait

se rouler par terre dans sa rage de ne pas avoir assouvi son désir ? Pour qui la prenait-il donc ?

Comme il tendait une main vers sa joue pour une brève caresse en signe d'au revoir, elle s'écarta brusquement.

— A bientôt, Jasmine, dit-il doucement.

Jasmine ne répondit pas.

Elle se sentait si peu sûre d'elle qu'elle craignait de s'agripper encore à lui et de le supplier de continuer leur merveilleuse étreinte.

Sans un mot, elle le regarda se diriger vers la porte. Il lui adressa un dernier sourire, un petit geste de la main, puis s'en alla.

C'est alors qu'elle prit la mesure de son émoi.

Toute l'hostilité qu'elle nourrissait auparavant à l'égard de Connor avait fait place à un sentiment bien différent, nettement plus puissant, beaucoup plus dévastateur.

Ce sentiment la bouleversait de fond en comble.

Comment faire pour ne pas l'aimer ?

Ah non ! Elle ne voulait pas être amoureuse de lui.

Que le diable emporte cet homme !

Elle n'était pas près de céder !

Dans les heures et les jours qui suivirent, Jasmine fit tout son possible pour éviter les appels téléphoniques de Connor.

Elle débrancha son téléphone et, lorsqu'elle entendait la sonnerie de la porte d'entrée, elle faisait la sourde. Elle se lança dans son travail avec frénésie, effectuant des heures supplémentaires à des horaires souvent impossibles.

Elle ne se sentait pas prête et se demandait d'ailleurs si elle pourrait l'être.

Le vendredi suivant, elle travailla jusqu'à minuit. Lorsqu'elle sortit du bureau, Connor l'attendait dans son habituelle position si élégante, si aristocratique : le dos nonchalamment appuyé sur sa somptueuse voiture qui luisait dans la nuit.

Il se redressa dès qu'il la vit et vint à sa rencontre. Après lui avoir fait une bise aussi rapide que discrète, il demanda sur un ton abrupt :

— Vous n'avez pas votre bague de fiançailles ? Qu'en avez-vous fait ? Pourquoi ne la portez-vous pas ?

Agacée par le caractère acerbe de la question, Jasmine répondit sèchement :

— Je ne la porte pas pour sortir.

Comme elle mettait fin au dialogue et se dirigeait d'un pas vif vers l'arrêt d'autobus, Connor la retint soudainement en agrippant son chemisier.

— Mais vous allez tout déchirer ! protesta-t-elle avec indignation. Lâchez-moi !

— Pourquoi débranchez-vous systématiquement votre téléphone ? Pourquoi n'ouvrez-vous pas la porte quand on sonne ? A quoi rime cette manière de refuser toute communication ?

— J'avais beaucoup de travail, bougonna-t-elle.

— Allons donc ! Vous faites tout pour m'éviter !

— Mais non, pas du tout…, mentit-elle d'un ton mal assuré.

— Pourquoi ne voulez-vous pas porter ma bague ?

Elle haussa les sourcils et le dévisagea d'un air faussement étonné.

— J'avais compris que vous me l'aviez donnée. J'en fais ce que je veux !

Il poussa un soupir excédé.

— Ne faites pas la sotte, grommela-t-il.

— C'est un bijou bien trop précieux, expliqua-t-elle avec

50

véhémence. Je ne peux pas porter une bague aussi somptueuse à mon travail.

Il eut une mimique exaspérée.

— Enfin, Jasmine ! Il s'agit d'une bague de fiançailles ! Ce genre de bague est toujours précieux. C'est normal.

— Je n'ai pas l'habitude de porter des bijoux d'une telle valeur.

— Je vous achèterai une bague moins chère, si c'est ce que vous souhaitez.

— Ce n'est pas la peine…

— Mais que voulez-vous donc ? s'exclama-t-il avec impatience.

Sa voix avait résonné dans la rue déserte, faisant tressaillir Jasmine qui se sentait troublée, déstabilisée.

« Ce que je veux ? Vous, Connor ! » avait-elle envie de hurler. Le fait de le revoir la mettait dans tous ses états. Chaque fibre de son être désirait cet homme comme elle n'avait jamais désiré aucun homme de toute sa vie.

— Je veux rentrer chez moi, dit-elle pour toute réponse d'une voix cassée.

Il la fit s'asseoir dans la voiture et contourna celle-ci pour s'installer au volant, l'air toujours mécontent. Le regard absent, la mâchoire serrée, il tourna la clé de contact.

Lorsqu'il eut démarré, il grommela d'un ton rogue :

— Ne me refaites plus jamais ça, Jasmine. Vous entendez ? Plus jamais !

— Je ne suis pas votre possession, répondit-elle avec un rapide regard en biais. Je ne sais pas ce que vous avez, aujourd'hui… Vous êtes d'une humeur exécrable ! Vous vous êtes levé du mauvais pied ou quoi ?

Il fronça les sourcils en fixant la rue droit devant lui.

— Du pied gauche ou du droit, je ne me souviens plus,

bougonna-t-il. Tout ce que je sais, c'est que je me trouvais dans un lit qui ne me convenait pas.

Le cœur de Jasmine se serra soudain. Voulait-il dire qu'il avait passé la nuit avec une autre femme ? Cette hypothèse la rendait malade malgré elle.

— Il ne faut pas dormir avec n'importe qui, répondit-elle d'un ton railleur.

Elle était blessée et tentait de masquer le fait par un trait d'humour. C'était totalement raté, car il rétorqua aussitôt :

— Oh ! j'y veillerai à l'avenir, vous pouvez en être sûre !

Ils restèrent un long moment sans parler en traversant des quartiers déserts à cette heure tardive.

— J'ai eu un coup de fil de votre père, annonça-t-il un peu plus tard, alors qu'ils approchaient de son immeuble.

— Ah bon ? fit-elle d'un ton morose. Que voulait-il ? Participer à l'organisation du mariage ?

— Pas du tout. Au contraire, il l'a même remis en question.

Jasmine n'en croyait pas ses oreilles.

— Que dites-vous ? murmura-t-elle, interloquée.

— Il m'a fait comprendre que vous pourriez faire un mariage d'un genre plus… approprié, plus convenable. En somme : vous pourriez choisir un meilleur parti.

— Et que lui avez-vous répondu ? demanda-t-elle, sidérée.

— Des choses qui ne conviennent pas aux oreilles de la fille d'un digne évêque.

Elle ne put se retenir de s'esclaffer.

— Et des choses qui ne conviennent pas non plus aux oreilles d'un évêque, reprit-il, pince-sans-rire.

— Alors, le mariage est annulé ?

— Non, il tient toujours. L'évêque n'a pas tardé à changer

d'avis lorsque nous avons évoqué le travail de restauration de son orgue. Le chèque que je lui ai promis lui a fait reconsidérer la qualité d'un mariage dont il doutait. D'un coup, je suis devenu un gendre idéal.

— C'est de la corruption d'ecclésiastique, gloussa Jasmine avec amusement.

— En tout cas, il ne s'oppose plus à notre mariage, et c'est l'essentiel.

Ils étaient à présent arrivés devant l'immeuble de Jasmine.

— Merci de m'avoir accompagnée, dit Jasmine en cherchant la poignée afin d'ouvrir la portière.

Connor tendit le bras pour l'aider et, ce faisant, effleura la poitrine de sa passagère.

Elle ne put retenir un petit cri de plaisir tant la sensation fut intense.

— Je peux vous poser une question, Jasmine ? demanda-t-il à mi-voix.

— Je vous écoute, dit-elle, le cœur en alerte.

Il attendit une bonne trentaine de secondes avant de parler.

— Dites-moi... Il y a une question qui me tracasse quelque peu...

— Laquelle ? murmura-t-elle, sur les charbons ardents.

— Si vous acceptez de m'épouser, est-ce à cause de la pression exercée par vos parents, ou bien à cause de ce testament de ma mère qui ne me lègue sa fortune qu'à la condition que je sois marié ?

Jasmine était terriblement embarrassée. Que pouvait-elle répondre ?

Pouvait-elle lui dire qu'elle acceptait le mariage pour la simple et bonne raison qu'elle avait envie de lui ? Non, elle ne se sentait pas capable d'un tel aveu.

Elle préféra répondre par une formule vague.

— C'est la solution la plus sage.

Encore une fois, Connor demeura silencieux un long moment, tout à sa réflexion.

Puis il se pencha vers elle et déposa un baiser très doux sur ses lèvres.

C'était si merveilleux que Jasmine eut envie de lui proposer de monter chez elle prendre un verre — même s'il s'agissait d'une tout autre soif qu'elle mourait d'envie d'étancher.

Mais il mit fin au baiser et dit d'une voix douce :

— Je vous appelle demain, Jasmine. Ne débranchez pas votre téléphone.

Elle réussit cette fois-ci à ouvrir la portière et sortit de la voiture.

Lorsqu'elle fut sur le trottoir, elle eut l'impression d'être une adolescente revenant de son premier rendez-vous amoureux. La tête lui tournait ; une sensation de flottement, de vertige, s'était installée en elle.

— Allez-y, suggéra Connor avec un sourire encourageant. Je ne démarre pas avant que vous ne soyez dans l'entrée.

Déroutée, Jasmine tourna les talons et se dirigea vers l'entrée de l'immeuble. Soudain, elle entendit qu'il l'appelait d'une voix pressante.

— Jasmine !

Le cœur battant, elle revint à la voiture et se pencha vers l'intérieur.

— Vous aviez oublié ceci ! dit Connor avec un sourire en coin.

Il lui tendit son sac avec un petit rire moqueur.

Jasmine le saisit d'un geste vif et retourna prestement jusqu'à l'entrée de l'immeuble.

Elle ne regarda pas en arrière et entendit la voiture démarrer, puis s'éloigner.

— Quel diable d'homme ! grommela-t-elle, perturbée, frustrée par ce baiser qui avait pris fin trop tôt, vexée aussi par ce rire qui résonnait encore à ses oreilles.

4.

Le mariage avait été prévu pour le vendredi suivant.

Jasmine avait promis de passer voir ses parents et, tandis qu'elle se rendait chez eux, elle pensait avec amertume à cette histoire d'orgue que lui avait confiée Connor.

Il avait en quelque sorte acheté leur feu vert en offrant un gros chèque pour la rénovation de cet instrument ! Jasmine ressentait du mépris pour cette lâcheté de ses parents, et c'est sans plaisir qu'elle se préparait à leur rendre visite.

Dès son arrivée, elle fut surprise par l'air très inquiet de sa mère.

— Tu es sûre que tu sais ce que tu fais, Jasmine ? demanda-t-elle d'emblée, manifestement soucieuse.

— Mais bien sûr, maman ! Je ne suis plus une gamine. J'ai vingt-quatre ans !

Son père, qui venait de les rejoindre dans le salon, lui posa, selon son habitude, un baiser sec et bref sur la tempe.

— Malgré tout, Jasmine, je…

— Laisse-la, interrompit l'évêque avec autorité.

— Mais, Elias, il faut qu'elle sache que…

Cette fois, ce fut Jasmine qui coupa la parole à sa mère.

— Si vous faites allusion au financement de la réfection de l'orgue, ne vous fatiguez pas en tournant autour du pot. Connor m'a mise au courant.

Manifestement embarrassé, le père de Jasmine détourna les yeux.

Un malaise nettement perceptible s'était installé dans la pièce où tous trois se tenaient. Jasmine avait le sentiment qu'on lui cachait quelque chose.

— Qu'avez-vous, tous les deux ? interrogea-t-elle, de plus en plus intriguée.

— Mais rien, ma chérie, assura sa mère d'un ton qui sonnait faux. Nous nous faisons seulement du souci pour ton avenir. Comprends-tu, ce mariage…

Jasmine n'écoutait plus. Elle avait la sensation à la fois vague et nette qu'on lui dissimulait quelque chose de grave. Son esprit ressemblait à un kaléidoscope constitué de morceaux incompréhensibles, de fragments d'incertitude et d'angoisse.

Dans la soirée du lundi qui précéda le mariage, Connor vint attendre Jasmine devant son immeuble et la suivit lorsqu'elle y entra.

Sa journée avait été très dure et elle ne se sentait pas d'attaque pour aborder les diverses questions concernant la cérémonie, les invitations, la réception ou tout autre sujet du même ordre.

De toute manière, elle ne voulait pas de réception, ce qui simplifiait les choses.

— Qu'est-ce que vous voulez, Connor ? demanda-t-elle assez sèchement.

— Vous m'avez manqué, aujourd'hui, répondit-il spontanément.

— Oh ! je vous en prie, je ne suis pas d'humeur à plaisanter…

— Mais c'est vrai, Jasmine. Vous m'avez réellement manqué !

— Nous nous sommes vus il y a trois jours.

— Trois jours, ça fait beaucoup. Moi, j'aimerais vous voir tous les jours !

— Pourquoi ? rétorqua-t-elle agressivement. Pour vérifier la marchandise ? Pour vous assurer que la future épouse se porte bien ?

Une lueur de déception passa dans le regard de Connor.

— Que se passe-t-il, Jasmine ? Vous avez des problèmes hormonaux ou quoi ? Vous êtes d'une humeur exécrable !

— Ah ! vous ne manquez pas d'air ! s'exclama-t-elle, outrée. Comme si le caractère des femmes ne dépendait que de cela ! Comme si nous ne pouvions avoir de soucis autres qu'hormonaux !

Elle avait traversé le petit salon, s'était installée dans un coin, et dardait un regard furieux sur lui.

Connor se dit qu'il était plus prudent de laisser passer l'orage. Ils demeurèrent un long moment silencieux, puis il reprit d'une voix douce :

— Vous avez eu une journée difficile ?

— Ça, vous pouvez le dire !

— Ne voulez-vous pas m'en parler un peu ? proposa-t-il d'un ton réconfortant.

Jasmine garda le silence une minute, puis commença d'une voix nouée :

— J'ai des problèmes avec l'un des patients dont je m'occupe. Il s'agit d'un garçon très fragile qui se drogue de temps à autre. Aujourd'hui, il a fait une fugue et il est dans la rue, on ne sait où.

— Est-ce qu'on a été voir s'il est chez lui ?

— Chez lui ? Mais il n'a pas de « chez lui » ! Il dort dans des foyers d'accueil ou dans la rue.

Connor secoua tristement la tête.

— Il est tout de même inouï de penser que dans une société aussi riche, aussi nantie que la nôtre, il y ait des gens dans une telle misère... Des jeunes qui choisissent de dormir dans la rue !

— Ce n'est pas un choix, mais la conséquence d'une enfance désastreuse. Oscar est dans la rue depuis qu'il a quatorze ans. Sa mère était alcoolique et son père avait abusé de lui. Après une enfance pareille, il y a de quoi être passablement perturbé... Il s'est drogué et n'est pas vraiment sorti de la drogue.

— Qu'avez-vous pu faire pour lui ?

— Nous avons tenté une thérapie appuyée par la métha-done, ce produit de substitution qui permet parfois de se libérer de la drogue. Mais il replonge de temps en temps, et tout est à recommencer.

Connor et Jasmine se trouvaient toujours dans des coins opposés de la pièce. Connor fronçait les sourcils, l'air pensif. Au bout d'un moment, il demanda d'une voix douce :

— Vous vous impliquez beaucoup dans votre travail, Jasmine, n'est-ce pas ?

— Oui, beaucoup.

— Si je comprends bien, vous essayez d'améliorer le monde — dans la mesure de vos moyens — et cela pour un salaire dérisoire...

— L'argent ne m'intéresse pas. Je n'en ai pas vraiment besoin et, à vrai dire, je m'en moque.

— Mais il faut bien vivre, pourtant ! La nourriture, les vêtements...

Jasmine baissa les yeux sur son vieux T-shirt et son jean usé. Avec un petit sourire, elle résuma d'un ton détaché :

— Bah ! je ne suis pas une fanatique de l'élégance. Je

ne suis pas du genre à courir les boutiques de fringues à la mode.

— Vous n'avez jamais souhaité disposer du même train de vie que vos sœurs ?

« Drôle de question », songea-t-elle.

— Mes trois sœurs ont été jusqu'au bout de leur cursus universitaire, ce qui leur a permis une vie plus facile. Moi, j'ai dû interrompre mes études assez tôt.

— Pourquoi ?

Jasmine esquissa une grimace amère.

— Vous n'avez jamais entrevu, dans la presse à sensation, des articles sur Roy Holden et moi ?

— Si, bien sûr. Mais je préfère apprendre la vérité de votre bouche.

Après un temps de réflexion, elle soupira et commença à parler très calmement.

— C'est de l'histoire ancienne, évidemment. J'avais seize ans. Roy Holden, un de mes professeurs, me fascinait. Nous nous sommes liés d'une profonde amitié. Un jour, on nous a découverts dans ce qui a été qualifié de « situation compromettante ». Il me serrait tendrement dans ses bras, un point c'est tout. Le scandale a éclaté. Roy a été muté dans un autre établissement.

— Et vous ?

Remuée par un souvenir qui restait très vif, elle baissa les yeux.

— J'ai quitté mon école le jour même. Je ne supportais pas les chuchotements dans mon dos, les regards en coin, toutes ces messes basses...

— Alors, c'est vous qui avez écopé ?

— C'était ma faute, murmura-t-elle, le regard perdu dans un passé lointain.

— Les adolescentes aiment bien avoir ce genre de flirt assez innocent.

— Oh ! ce n'est même pas allé jusqu'au flirt ! J'avais une énorme admiration pour ce professeur qui me parlait de livres essentiels, qui m'ouvrait l'esprit… Et j'appréciais intensément l'attention qu'il me portait. Et puis…

Elle s'interrompit, surprise de s'être ainsi confiée à Connor. Il n'était pas dans ses habitudes d'évoquer sa vie intime, même lointaine.

— Comment ont réagi vos parents ? questionna-t-il, le visage grave.

— Oh… très mal ! Ma mère a souffert d'une migraine durant trois jours, et mon père s'est mis une fois de plus à me débiter les sempiternels sermons sur ce qu'une bonne chrétienne doit faire et ne pas faire, sur les tentations de la chair et tout le tralala…

— Vous étiez peut-être allée un peu trop loin sur ce plan avec Roy Holden ?

Jasmine sentit ses joues s'empourprer.

— Absolument pas ! rétorqua-t-elle. En tout cas, pas avec Roy Holden. Mais ce petit drame familial a en quelque sorte mis le feu aux poudres pour moi. A partir de ce moment-là, je me suis révoltée contre la pudibonderie familiale, et je me suis jetée dans les bras d'un joueur de foot.

Elle balaya l'air de la main en riant.

— Ce fut un ratage total !

— Ma première expérience a été catastrophique aussi, répondit Connor en riant avec elle.

— Je repense à cette interview télévisée, reprit Jasmine. Est-ce que la femme de Holden s'est montrée agressive ? Qu'a-t-elle raconté au juste ? Elle a parlé de moi ?

— Non, elle n'a pas directement parlé de vous. Elle a essentiellement voulu défendre l'intégrité de son mari…

— Huit ans après ! s'étonna Jasmine. Je ne comprends pas comment les gens peuvent encore s'intéresser à cette histoire.

— Tout simplement parce que vous êtes la fille d'un ecclésiastique. C'est tellement plaisant de faire des commérages à propos d'une fille d'évêque ! Si votre père avait été commerçant ou fonctionnaire, personne ne se serait intéressé à ce petit scandale.

Un peu plus d'une heure plus tard, Jasmine et Connor étaient attablés devant un plat de nems dans un petit restaurant asiatique de la ville.

Jasmine s'appliquait à saisir les nems avec ses baguettes, ce qui lui permettait d'éviter le regard de Connor.

— Vous êtes inquiète pour vendredi ? demanda Connor qui semblait parfaitement détendu.

Elle leva les yeux vers lui, hésita un instant, et répondit avec toute l'assurance dont elle se sentait capable malgré la tension qui l'habitait :

— Inquiète ? Non. Ce n'est pas comme si nous allions nous marier pour de bon. Il s'agit d'une formalité, n'est-ce pas ? Ainsi je n'aurai plus mes parents sur le dos, et vous, vous pourrez disposer de ce fameux héritage de votre mère. Tout le monde sera satisfait, non ?

Connor la dévisagea un long moment d'une manière si appuyée qu'elle se mordilla inconsciemment la lèvre.

Il hocha lentement la tête, pensif.

— Qu'y a-t-il ? questionna-t-elle, inquiète.

Les yeux animés par une flamme intense, il se pencha légèrement vers elle.

— Vous savez très bien que ce mariage n'est pas une formalité pour moi, Jasmine. C'est un vrai mariage.

— Vous ne pouvez pas me forcer sur ce point, Connor. Vous connaissez mon sentiment sur la question.

— Je parviendrai bien à vous convaincre, murmura-t-il avec une intonation si sensuelle que Jasmine tressaillit.

Elle comprenait que le charme naturel de Connor, sa puissance, sa virilité, ne pouvaient laisser aucune femme indifférente.

— En vous mariant, vous allez plonger toute une légion de femmes dans le désespoir, railla-t-elle.

— Une légion, c'est beaucoup dire, corrigea-t-il avec un sourire malicieux. Disons simplement que je vais décevoir un certain nombre de dames. Cela vous rend jalouse ?

— Jalouse ? Certainement pas ! s'exclama-t-elle avec un rire moqueur un peu trop appuyé.

Elle se rendit compte de la manière excessive avec laquelle elle venait de réagir. Pour comble de malchance, ses joues avaient rosi.

Connor comprenait sans doute qu'elle n'était pas aussi indifférente qu'elle le prétendait à l'égard des multiples liaisons qu'il avait eues.

— Et vous, Jasmine ? questionna-t-il quelques instants plus tard. Combien d'amants avez-vous eus ?

Les yeux baissés, elle joua machinalement avec ses baguettes.

— Le nombre de mes amants est probablement bien inférieur à celui de vos maîtresses, mais sans doute pourrait-il vous rendre jaloux...

Les yeux sombres de Connor scintillaient d'une lueur étrange, tandis qu'il continuait à la dévisager, son verre de vin à la main.

— Vous faites durer le suspense, marmonna-t-il d'un ton moqueur. Cela vous amuse de me taquiner ?

— Voyons, Connor ! Un homme qui s'apprête à se marier

ne peut prendre plaisir à écouter la liste de ceux qui l'ont précédé !

Il reposa son verre sur la table.

— J'aimerais tout de même bien savoir le nom de ceux qui sont entrés dans votre lit, insista-t-il.

Jasmine se sentit rougir une nouvelle fois. Heureusement, le serveur arriva à point pour détourner l'attention de Connor, et surtout pour lui éviter d'avoir à répondre.

Lorsqu'ils eurent terminé leur dessert, Connor se leva, régla l'addition puis annonça d'un ton déterminé :

— Allons chercher votre Oscar.

Ils se dirigèrent vers les quartiers de Darlinghurst et de King Cross et descendirent de voiture dans l'espoir de croiser quelqu'un qui aurait aperçu l'adolescent. Malheureusement, personne ne l'avait vu. En tout cas, personne ne semblait pouvoir fournir la moindre information.

Ils traversèrent des quartiers assez sordides, ceux où les dealers ont l'habitude de vendre leur poison.

— Promettez-moi de ne jamais plus vous aventurer seule dans ce coin-là la nuit ! grommela Connor.

— Vous avez peur ?

— Pas pour moi. Pour vous, Jasmine. Ce coin est vraiment mal famé.

Ils marchèrent encore un moment, puis Connor reprit d'un ton quelque peu méprisant :

— Je n'avais pas conscience de tous ces désespérés, tous ces laissés-pour-compte de la société. Ils sont tombés bien bas !

— Ce sont des gens comme vous et moi, Connor, rétorqua-t-elle avec assurance. Des gens qui n'ont pas eu de chance, ou qui ont fait le mauvais choix. Pour la plupart, ils ont eu une enfance difficile. C'est dans l'enfance que le malheur commence ses enracinements…

Ils arrivèrent à la voiture que Connor avait laissée dans une zone très éclairée.

Ils s'installèrent et il tourna la clé de contact. Alors qu'ils démarraient, Jasmine demanda soudain :

— Quel était le prénom de votre mère ?

Connor lui jeta un regard rapide, puis répondit :

— Ellen.

— Vous vous souvenez d'elle ?

— Un peu, dit-il avec réticence.

— Vous vous souvenez de quoi, par exemple ?

Une nouvelle fois, il tourna les yeux vers Jasmine ; il semblait agacé par ce questionnement qu'elle lui imposait.

— Pourquoi cet intérêt soudain pour mon passé ? grommela-t-il.

— Juste pour savoir, dit-elle d'un ton conciliant. Vous m'avez posé des questions sur ma vie — et même sur mes éventuels amants. A présent, c'est moi qui vous pose des questions. Cela vous déplaît ?

Il conduisit un moment sans répondre, puis déclara d'une voix sourde :

— Il y a près de trente ans que ma mère est morte. Je ne vois pas l'utilité d'en parler davantage.

— Je suis désolée…

Il gara la voiture le long d'un trottoir et se tourna vers celle qui allait devenir son épouse.

— Vous savez, Jasmine. L'histoire de ma vie est loin de ressembler à un conte de fées ou à un feuilleton télévisé qui donne à voir des familles heureuses. Je n'ai pas eu une enfance facile. J'ai dû me battre comme un lion… et j'ai réussi à m'en sortir…

Ils restèrent un moment silencieux puis Connor reprit d'une voix apaisée :

— J'imagine que ça n'a pas dû être facile pour vous non plus, avec ces trois sœurs qui vous ressemblent si peu !

— Ça n'a pas été l'enfer pour autant, rectifia-t-elle avec un petit rire.

— Sans doute, mais vous avez toujours été à part.

Jasmine tressaillit.

— Que... que voulez-vous dire ? balbutia-t-elle, surprise.

— Comme je vous l'ai déjà dit, vous n'avez pas vraiment un air de famille. Vous n'êtes pas comme vos sœurs. Cela vous ennuie ?

— Disons que j'ai mes idées personnelles, des positions bien à moi qui ne coïncident pas avec celles de ma famille.

— Vous êtes un peu comme le mouton noir...

— ... Au milieu du troupeau blond ! coupa-t-elle avec un rire nerveux.

Soudain, elle se figea.

— Oh ! attendez, Connor ! Je crois que j'ai vu Oscar.

Elle ouvrit brusquement la portière et s'élança vers un jeune garçon assis dans la pénombre, tête baissée, et qui avait les bras serrés contre son ventre.

Connor descendit à son tour de voiture et s'approcha du garçon qui paraissait mal en point.

— Voulez-vous que j'appelle une ambulance ? demanda-t-il à Jasmine qui se penchait sur Oscar.

— Non. Il va bien. J'ai l'impression qu'il a bu, tout simplement. Nous allons le ramener à son foyer d'accueil.

— Avec ma voiture ? s'enquit Connor d'un ton inquiet.

— Evidemment. Aidez-moi à l'installer. A moins que vous ne craigniez qu'il salisse vos jolis sièges...

— Mais non, allons-y !

Quelques minutes plus tard, ils arrivèrent devant le foyer d'accueil qui disposait d'une permanence de nuit.

— Ah ! vous avez réussi à le retrouver ! s'étonna le gardien de nuit.

L'homme saisit immédiatement Oscar sous les bras et le fit s'asseoir dans un fauteuil du hall d'entrée pour examiner son état.

L'adolescent somnolait plus ou moins, en dodelinant de la tête.

— Je n'ai pas l'impression qu'il ait pris de la drogue, commenta le gardien d'un ton optimiste. Il a juste trop bu. Mais je vais tout de même appeler le médecin, par prudence.

Il se tourna vers Connor.

— Je vous remercie, monsieur.

— C'est tout naturel, répondit Connor avec bonhomie.

Jasmine et Connor ne tardèrent pas à regagner la voiture. Il était tard.

— Je vous ramène chez vous, annonça Connor. Il ne faut pas que je tarde trop : je prends l'avion demain matin.

— L'avion ? Où allez-vous ? demanda-t-elle, désemparée.

— A Perth, d'abord, puis à Adelaïde. Un simple voyage d'affaires. Mais ne vous faites pas de souci, ajouta-t-il avec un rire léger. Je serai de retour pour le mariage !

Une fois au volant, Connor démarra et prit la direction du quartier où habitait Jasmine.

— Qui souhaitez-vous inviter pour notre mariage ? interrogea-t-il.

— Je vous l'ai déjà dit, Connor. Je ne veux pas d'invités, et surtout pas de photographes.

— Même pas de membres de votre famille proche ?

Jasmine avait le regard fixé au loin, dans la nuit.

— Ma mère est fille unique, et mon père a une sœur, plus jeune que lui, qu'il n'a pas voulu voir depuis plus de vingt ans.

— Une brouille de famille ?

— En quelque sorte. Ma tante, qui s'appelle Vanessa, aurait commis une grave faute dans le passé, ce qui a jeté définitivement l'opprobre sur elle. Je n'en sais pas plus.

— Un scandale familial, donc, comme pour vous !

Elle se tourna vers lui.

— Comme pour moi, confirma-t-elle rêveusement.

Ils demeurèrent silencieux un long moment, tout pensifs.

Comme Jasmine observait les longues mains de Connor posées sur le volant, elle songea à l'alliance qu'il allait bientôt porter à l'annulaire.

« Que vont faire de moi ces mains lorsque nous serons officiellement mariés ? » se demanda-t-elle avec un peu d'inquiétude.

5.

En moins d'une demi-journée, Jasmine avait rassemblé l'essentiel de ses affaires pour emménager dans la maison de Connor qui lui avait laissé un jeu de clés.

Assise sur ses talons, elle faisait une pause dans l'entrée, tout en contemplant ses valises et ses cartons que le déménageur venait de déposer.

La maison était vaste, certes, mais sans prétention, sans aucun mauvais goût.

Jasmine se leva et alla jeter un coup d'œil sur ce qui allait être sa nouvelle demeure — ou du moins, pour l'instant, son nouveau point d'ancrage.

Elle ignorait de quoi serait fait le futur, mais elle avait donné son accord pour cet étrange mariage ; elle se marierait donc dans quatre jours.

Et ensuite, une fois les formalités remplies ? Elle verrait bien… Sans doute reviendrait-elle à son indépendance.

Elle ouvrit successivement les portes des pièces du rez-de-chaussée, visita la cuisine, les salons, la bibliothèque, puis elle monta l'escalier jusqu'au premier étage.

Son cœur se mit à battre fort dans sa poitrine lorsqu'elle ouvrit la porte de la pièce qui — elle s'en aperçut aussitôt — constituait la chambre de Connor.

Le lit, très grand, était recouvert d'un couvre-lit couleur caramel.

Bouleversée, elle murmura :

— Est-ce donc là que je dormirai ?

Mais non. Elle dirait clairement qu'elle comptait faire chambre à part, quelles que soient les protestations de Connor.

La pièce était pleine de sa présence. Elle humait la fragrance de son parfum de toilette, l'odeur de sa peau. Il était là sans y être, puisqu'il se trouvait actuellement à l'autre bout du pays pour son voyage d'affaires.

Pourtant, elle éprouvait la sensation physique de sa présence.

C'était absurde, bien sûr.

Elle jeta un coup d'œil dans la salle de bains attenante à la chambre. Un peu plus loin se trouvait une grande penderie. Curieuse, elle l'ouvrit.

Les vêtements de Connor étaient suspendus ou rangés là. Comme elle passait une main rêveuse le long d'une jolie chemise bleue, elle sursauta et se retourna brusquement.

— Vous cherchez où ranger vos affaires ? demanda Connor d'une voix amicale. C'est là.

— Mais je... je croyais que vous ne deviez rentrer que demain ?

— Le voyage a été écourté. Je suis revenu plus tôt que prévu. Si vous saviez comme cela me fait plaisir de vous voir ici !

— Mes affaires sont en... en bas, bégaya-t-elle, déboussolée. Je... je ne savais pas où je devais les mettre.

— Eh bien, ici même, si vous ne voyez pas d'inconvénient à partager ce placard.

Comme Jasmine hésitait, Connor insista d'un ton enjôleur :

— Serait-ce un problème que de partager ma penderie ?

— Votre penderie, non. Mais votre lit, oui.

— Mais c'est ce que font tous les couples mariés, non ? Ils partagent leurs placards, leur lit… *et même* leur cuisine.

— La cuisine, je n'y vois aucun inconvénient, les placards non plus. Mais je ne veux pas dormir avec vous. Notre mariage n'est pas un mariage ordinaire, vous le savez aussi bien que moi. Et dormir dans le même lit ne ferait que compliquer les choses.

Il s'approcha d'elle et répondit d'une voix douce :

— C'est tout le contraire, ma chérie. Les choses ne deviendraient compliquées que si vous refusiez de partager mon lit !

Comme chaque fois qu'elle avait un problème, Jasmine se mordilla nerveusement la lèvre inférieure, consciente de la situation inextricable dans laquelle elle allait bientôt se trouver.

— Voyons, Connor, marmonna-t-elle, nous sommes des étrangers l'un pour l'autre. Nous nous connaissons à peine et nous n'éprouvons aucun sentiment l'un pour l'autre…

— Allons donc ! J'éprouve des sentiments tout à fait réels pour vous, Jasmine !

Elle le regarda d'un air courroucé.

— Cessez de vous moquer de moi, par pitié ! Je sais bien que tout ce que vous ressentez pour moi, c'est un désir brutal, animal, rien de plus. Alors, cessez de jouer ce jeu-là.

Une lueur amusée passa dans les yeux de Connor qui esquissa un sourire.

— Un désir animal ? répéta-t-il pensivement.

— Exactement. Vous avez profité de cette petite… erreur que j'ai faite le jour du mariage de ma sœur. Depuis, rien ne va plus. La presse ne cesse de parler de vous, de nous, de ce petit scandale qui met en scène l'un des plus célèbres play-boys du pays et la fille d'un évêque... Ah ! la presse s'en donne à cœur joie ! Quel sujet en or ! Chaque journal veut l'exclusivité des photos ou des racontars... Et vous, Connor, vous ne faites rien pour garder cette horde sauvage de journalistes et de photographes à distance.

— Si vous croyez que c'est en mon pouvoir ! Je n'y peux rien, ma pauvre ! Ils nous traquent, mais qu'y puis-je ? D'ailleurs, ils sont là, une fois de plus. Regardez.

Il alla jusqu'à la fenêtre et écarta discrètement un rideau.

— Mon Dieu ! s'exclama-t-elle. Ils sont au moins une vingtaine !

— Je leur ai pourtant dit, à tous, de quitter les lieux, mais ils ne veulent rien entendre.

Effondrée, Jasmine se laissa choir sur le bord du lit. Ravagée par l'anxiété, elle se tordait les mains.

— Il faut faire quelque chose ! murmura-t-elle au comble du désarroi. Ils ne peuvent pas rester là éternellement !

— Bah ! ils finiront bien par se lasser. Et puis, dès que le mariage sera terminé, ils se calmeront et se tourneront vers un autre sujet à scandale.

Il posa délicatement une main sur son épaule.

— Croyez-moi, Jasmine. Tous ces petits problèmes se résoudront lorsque nous serons mariés.

Jasmine doutait fortement de ce qu'il affirmait avec tant de conviction. Certes, leur mariage mettrait fin — sans doute — au harcèlement médiatique dont ils étaient l'objet, mais il ne résoudrait pas pour autant l'ambiguïté des sentiments qu'elle éprouvait pour lui.

Comment allait-elle parvenir à dissimuler à Connor ce qu'elle ressentait ?

Il perçut le trouble qui la rongeait.

— Est-ce que vos parents savent que nous allons vivre

dans le péché jusqu'à vendredi ? demanda-t-il avec un sourire à peine voilé.

— Mais nous n'allons pas vivre dans le péché ! protesta-t-elle, indignée. Ne dites pas n'importe quoi !

— Dans la luxure, renchérit-il avec un rire amusé.

— Ne soyez pas ridicule, Connor.

— Comment se fait-il que vous soyez aussi perturbée par la simple perspective d'une intimité physique entre vous et moi ?

Elle fit un effort pour le regarder droit dans les yeux.

— Je ne suis pas perturbée. Je souhaite simplement ressentir autre chose que de l'aversion pour mes éventuels partenaires sexuels.

Il eut de nouveau un rire léger.

— Allons, allons ! Ne me dites pas que vous ressentez de l'aversion pour moi. Si c'était le cas, vous auriez insisté auprès de votre père pour qu'il célèbre la cérémonie au temple. Il aurait pu pérorer à son aise sur les pécheurs, les pécheresses et les péchés : péchés mignons, péchés véniels, péchés mortels, péchés capitaux… avarice, colère, envie, gourmandise, orgueil, paresse et…

Il fit une pause, les yeux arrondis.

— Et ? interrogea-t-il sur sa lancée, tout excité.

— Et quoi ? bougonna-t-elle, lassée par son numéro.

— Et luxure ! tonna-t-il d'un ton triomphant.

— Vous me fatiguez, marmonna-t-elle. Allez donc voir si les journalistes sont toujours là. Je n'ai pas envie de rester cloîtrée indéfiniment.

Il alla une nouvelle fois jusqu'à la fenêtre et souleva tout doucement le rideau.

— On dirait qu'ils sont partis, annonça-t-il avec soulagement. Dans une demi-heure il fera nuit. Nous pourrons sortir pour aller dîner quelque part en amoureux.

Il avait quitté la fenêtre et s'était approché d'elle d'une démarche à la fois souple et volontaire.

Jasmine tressaillit, redoutant le pire. Elle jeta un regard inquiet vers le lit, tout proche.

Comme il posait les mains sur ses hanches et l'attirait irrésistiblement contre lui, le téléphone qui se trouvait sur la table de chevet sonna.

Il décrocha.

— C'est pour vous, annonça-t-il d'un ton bourru.

— Allô ? fit-elle, alarmée.

C'était Todd, son collègue du dispensaire.

— Jasmine ? Enfin j'arrive à te joindre. J'ai réussi à obtenir ton numéro en appelant ta mère. Il faut que tu viennes dès que possible, c'est urgent. Annie, la jeune mère dont tu t'occupes, ne cesse de réclamer ta présence. Elle va mal…

L'écouteur collé à l'oreille, Jasmine fronça les sourcils, soucieuse.

Elle vit Connor prendre ses clés de voiture d'un geste décidé. Il avait manifestement deviné qu'elle allait devoir se rendre au plus tôt au dispensaire.

— J'arrive tout de suite, annonça-t-elle.

Lorsqu'elle eut raccroché, elle leva vers lui des yeux reconnaissants.

— Merci, dit-elle simplement.

Connor se gara devant le dispensaire et contourna la voiture pour ouvrir la portière de Jasmine.

— Vous en aurez pour longtemps ?

— Je n'en ai pas la moindre idée, répondit-elle.

— Donnez-moi un coup de fil, lorsque vous aurez terminé. Je viendrai vous chercher.

— Ce sera peut-être très tard…

74

Il lui effleura doucement la joue.

— Peu importe, ma chérie. Appelez-moi. C'est promis ?

Etonnée de tant de sollicitude, émue par une telle tendresse, Jasmine le dévisagea.

— C'est promis, dit-elle.

Il se pencha pour un bref baiser sur ses lèvres, et remonta prestement dans sa belle Maserati. La portière se referma avec un bruit feutré.

Elle le regarda démarrer dans un ronronnement puissant, puis disparaître dans la nuit.

Ce n'est que beaucoup plus tard qu'il put revenir la chercher.

Jasmine était extrêmement fatiguée. Elle s'était occupée de la jeune mère dans la détresse, et avait fait tout son possible pour lui obtenir un logement. Finalement, les choses avaient pu être réglées grâce à l'aide de Connor, à qui elle avait téléphoné en urgence. Il lui avait donné l'adresse d'une dame, Mme Hopper, qui se disait prête à accueillir la jeune maman et son enfant.

— Merci pour ce que vous avez fait, murmura-t-elle avec lassitude lorsque Connor vint à sa rencontre.

Il lui prit le bras en souriant, et ils sortirent du dispensaire.

— Allez vite vous mettre au lit, dit-il dès qu'ils furent arrivés chez lui.

Il lui caressa la joue d'un geste tendre.

— Si vous avez besoin de quoi que ce soit, je serai dans la chambre d'amis, à l'autre bout du couloir, ajouta-t-il tranquillement.

Elle allait donc dormir seule dans le lit de Connor !

— Bonne nuit, Connor, murmura-t-elle dans un brouillard de fatigue. A demain.

Lorsqu'elle fut enfin couchée, Jasmine ne s'endormit pas

immédiatement : une pensée obsédante occupait son esprit. Elle imaginait Connor allongé près d'elle, son corps contre le sien… Elle fantasma un moment sur les baisers ardents, passionnés, qu'ils échangeraient avant de faire l'amour…

Lorsqu'elle s'éveilla le lendemain matin, après une nuit agitée, elle trouva un message que Connor avait laissé bien en vue : il devait se rendre d'urgence à Brisbane, mais il serait de retour pour le mariage.

Saisie d'une bouffée de colère, elle chiffonna le papier et en fit une boule qu'elle lança contre le mur.

Il était infernal, cet homme ! Au moment où elle avait besoin de sa présence, il disparaissait dans la nature !

6.

Un mariage qui n'était pas célébré par son père, cela sembla bizarre à Jasmine.

Jusqu'au bout, elle avait insisté pour que la cérémonie fût la plus rapide et la plus discrète possible, sans invités, sans amis, sans famille.

Elle avait aussi choisi une tenue très banale, une simple robe rouge. Après tout, n'était-ce pas ce qui convenait le mieux à celle que sa famille considérait comme *persona non grata*, comme une damnée de la terre ?

En optant pour la traditionnelle robe blanche avec traîne, voile et tout le tralala, elle aurait éprouvé un sentiment de malhonnêteté aussi bien vis-à-vis d'elle-même que de Connor.

Pas de cérémonie, pas de famille, pas de robe de mariée, pas de fête : ainsi en avait-elle décidé.

Ne souhaitant pas dormir chez Connor la veille du grand jour, elle avait passé la nuit précédente dans un hôtel.

Durant la soirée et une bonne partie de la nuit, elle s'était dit qu'il était encore temps de tout annuler.

Finalement, elle n'en avait rien fait.

Lorsqu'ils se retrouvèrent devant le pasteur qui devait officier, Connor la considéra d'un œil noir. Sans doute lui en voulait-il d'avoir passé la nuit ailleurs et probablement lui en voulait-il aussi pour cette robe vraiment très ordinaire qu'elle portait.

Après un aimable prêchi-prêcha, l'homme d'Eglise leur donna la permission d'échanger un baiser.

Jasmine avait tout prévu sauf le feu qui lui brûla les lèvres lorsque la bouche de Connor se posa sur la sienne.

A peine eurent-ils signé le registre que les photographes firent leur apparition. Ils s'étaient soigneusement dissimulés jusqu'alors et s'en donnaient à présent à cœur joie : les flashes crépitaient.

Connor saisit Jasmine par le bras et ils s'engouffrèrent dans la voiture.

Lorsqu'ils se furent éloignés et perdus dans la circulation, Jasmine poussa un profond soupir : ouf, c'était enfin terminé !

Connor conduisait sans mot dire, les mâchoires crispées, le regard au loin.

Il se passa un long moment avant qu'il ne s'exclame d'un ton bourru :

— Bravo pour la robe ! Vous n'auriez pu faire pire. Pouvez-vous m'expliquer ce choix ?

— Je n'ai pas à me justifier, rétorqua-t-elle sèchement. Je m'habille comme je veux.

— Peut-être, mais votre photo — notre photo ! — sera dans tous les journaux, demain. Et tout le monde se moquera de la robe à trois sous que vous portiez pour le mariage.

— C'est ma plus jolie robe. Vous savez, j'ai peu de vêtements…

— Je pouvais vous offrir quelque chose de mieux, de beaucoup mieux ! grommela-t-il avec humeur. J'aurais souhaité vous voir bien habillée !

— Vraiment ? Je pensais que vous souhaitiez surtout me voir en déshabillé… ou plus exactement déshabillée !

— Très drôle, commenta-t-il, l'œil noir. Vous savez que vous avez parfois un caractère impossible, Jasmine ?

Sur la défensive, elle croisa instinctivement les bras sur sa poitrine.

— Il a fallu que vous m'épousiez pour vous en rendre compte ? railla-t-elle.

Le rire qu'il émit détendit un peu l'atmosphère. Ses gloussements étaient spontanés, sans la moindre animosité.

— Non, je n'ai pas attendu le mariage, avoua-t-il, débonnaire. J'avais eu le temps de prendre la mesure du personnage... Et quel personnage ! ajouta-t-il d'un ton où perçait l'admiration.

— Si je suis un personnage avec un tel caractère, pourquoi donc m'avez-vous épousée ?

Il lui jeta l'un de ces regards appuyés et profonds dont il était coutumier, puis répondit gravement :

— C'était le bon choix.

— Est-ce encore vraiment le bon choix ? demanda-t-elle, sceptique.

— Nous verrons bien. Pour le moment, nous sommes en train de faire notre lit, comme le veut le dicton : « Comme on fait son lit, on se couche. » Nous allons donc nous coucher...

Il s'interrompit et tourna une nouvelle fois la tête vers elle avec une expression grave et réfléchie.

— ... dans notre lit, conclut-il.

Ils roulèrent ensuite un long moment en silence. Jasmine repassait dans sa tête les mots qu'il avait prononcés de manière si particulière. De quelle nature allait être le lit qu'il évoquait ?

Perdue dans ses réflexions, elle reprit soudain contact avec la réalité et découvrit qu'ils étaient sortis de la ville.

— Nous n'allons pas chez vous ? Je veux dire... chez nous ? interrogea-t-elle, très surprise.

— Non. Nous allons faire un petit voyage dans une région que vous aimez. Je veux vous montrer quelque chose. J'ai demandé à Maria, la dame qui s'occupe de la maison, de préparer une petite valise avec vos affaires...

— Quoi ? Vous ne manquez pas d'air ! Je déteste que l'on fouille dans mes affaires !

Indignée, Jasmine se dit que sa vie conjugale commençait bien mal. On fouillait dans ses affaires et on l'emmenait quelque part sans lui demander son avis !

— Vous auriez pu me prévenir, grommela-t-elle entre ses dents.

— Je n'en ai pas eu le temps, vous le savez bien. Et je me suis dit que nous pourrions vous acheter des vêtements en route.

— C'est hors de question ! s'exclama-t-elle. C'est moi et moi seule qui choisis ce que je porte.

— Mais vous n'avez pas d'argent ! protesta-t-il avec un sourire crispé.

— Pas autant que vous, ça c'est sûr ! Mais suffisamment pour m'acheter des jeans et des T-shirts !

Bouillante de rage, elle ajouta du même ton coléreux :

— Et des robes rouges !

— Tout ça pour vous distinguer d'une famille bien pensante..., commenta-t-il, songeur.

— Bien pensante et trop bien habillée, oui, certainement, asséna-t-elle fermement. J'ai toujours trouvé ridicule de dépenser des fortunes pour un carré de chiffon, une culotte, un chemisier, des escarpins de haute couture, alors qu'il y a dans la rue des enfants et des jeunes qui n'ont rien à manger !

— Mais...

— Et vous, vous avez encore en bouche la petite cuiller en argent qui était là quand vous êtes né...

Jasmine s'interrompit. Elle se rappelait l'enfance difficile dont Connor lui avait parlé, la mort de sa mère quand il était tout petit, ces temps difficiles…

— Excusez-moi, murmura-t-elle, confuse. Je ne sais plus ce que je dis.

— Oublions ça, dit-il d'une voix à peine audible.

Ses mains étaient crispées sur le volant, et son visage demeurait tendu.

Jasmine se sentit désespérée.

Pendant la demi-heure qui suivit, ils n'échangèrent plus un mot.

Ils arrivèrent à Pelican Head, où se trouvait la maison où elle s'était si souvent réfugiée en quête de solitude, et où Connor était venu la chercher au début de leur aventure.

La voiture roula sur le chemin de terre qui menait à cette grande bâtisse de style victorien que Jasmine connaissait depuis des années.

Elle avait toujours été fascinée par cette imposante demeure qui dominait la mer avec une redoutable majesté. Il lui était arrivé, parfois, de rôder à proximité de cette propriété qui l'intimidait et qui, lorsqu'elle était plus jeune, lui semblait hantée par un personnage plein de mystère.

Connor, apparemment, avait fait faire des travaux dans cette maison qu'elle voyait à présent d'un œil différent.

— Vous connaissez les lieux, n'est-ce pas ? demanda-t-il d'un ton engageant.

— Oui, mais je n'y suis jamais entrée.

— Si vous avez envie de faire un tour au bord de la mer, allez-y. Pendant ce temps, je préparerai la maison.

Sans doute avait-il deviné son besoin d'être seule — surtout dans cet endroit qui représentait pour elle la quiétude et la liberté absolues. Elle lui sut gré de cette délicatesse étonnante chez un homme.

— Oui, je vais aller faire une balade, répondit-elle avec émotion.

Jasmine se dirigea vers la mer. En cette fin de journée, le soleil formait des ombres allongées et la lumière était magnifique.

Enivrée par l'air marin si vivifiant, elle gonfla ses poumons, respira tout son soûl. Elle retrouvait avec émotion et nostalgie l'endroit où elle avait passé tant d'heures, tant de journées, autrefois.

A présent, elle était mariée…

Elle avait du mal à prendre vraiment conscience de cette réalité : aujourd'hui était son premier jour de femme mariée.

Quel étrange mariage !

Machinalement, elle fit tourner son alliance sur son doigt. Elle n'était pas habituée à cet anneau qui semblait lui répéter secrètement : « Tu es mariée, tu es mariée… »

Jamais elle n'avait connu ou entendu parler d'un mariage aussi extravagant que le sien.

Cette brève cérémonie, en définitive, avait eu un triple but : calmer l'indignation de ses parents ; conforter l'héritage légué par la mère de Connor ; et enfin apaiser la meute des journalistes et autres photographes, mettre un terme à cet absurde déchaînement médiatique.

Tout devait théoriquement rentrer dans l'ordre, maintenant.

Quel bonheur de souffler enfin, de se retrouver seule dans son environnement favori : la mer, si belle, toujours recommencée !

Il faisait presque nuit lorsqu'elle retourna vers la vieille demeure victorienne.

Connor avait allumé les lampes dans toutes les pièces, ce qui, de l'extérieur, donnait un aspect féerique à la maison.

Intimidée, Jasmine poussa la porte. C'était la première fois qu'elle s'apprêtait à entrer dans cette extraordinaire demeure.

— Attendez ! s'exclama Connor lorsqu'il la vit sur le seuil. Faisons les choses comme le veut la tradition !

Elle se sentit aussitôt soulevée. Il l'avait enlevée dans ses bras solides avec autant de facilité que si elle ne pesait rien, et lui faisait franchir le seuil en avançant d'un pas martial.

— Et voilà ! dit-il avec un sourire satisfait en la reposant dans l'entrée avec délicatesse. La mariée est maintenant chez elle !

Désorientée, Jasmine le considéra un instant et ajouta d'un ton railleur :

— Pour le meilleur et pour le pire...

Poussé par une impulsion subite, Connor la souleva de nouveau et la garda contre lui tandis qu'il murmurait d'une voix douce et émouvante :

— Pour le meilleur seulement, Jasmine.

— Allons, protesta-t-elle mollement. Reposez-moi, s'il vous plaît.

Comme il faisait mine de ne pas entendre, elle agita les pieds.

— Lâchez-moi, Connor ! s'écria-t-elle. Je ne...

Elle ne put continuer, car il avait posé ses lèvres sur les siennes, ce qui la bouleversa immédiatement. Elle eut le sentiment qu'il venait de mettre le feu aux poudres, d'allumer toutes les mèches secrètes de son être. Elle brûlait soudain d'un feu ardent qui l'embrasait de la tête aux pieds.

Lorsqu'il la reposa sur le dallage de l'entrée, elle constata l'ampleur de son désir. Les hommes ont souvent du mal à dissimuler l'évidence de leurs ardeurs...

Jasmine sentit qu'elle était écarlate : elle avait le visage en feu, la respiration haletante.

Bouleversée par l'intensité de ce baiser qui l'avait profondément remuée, elle s'écarta de Connor. Comment allait-elle pouvoir lui résister dans les jours à venir ?

Elle décida de mettre un terme à la situation troublante dans laquelle ils se trouvaient par une question anodine :

— Qu'est-ce qui vous a poussé à acheter cette maison ? demanda-t-elle du ton le plus dégagé possible.

— J'aime le côté plein de mystère de cet endroit.

Tout à coup, les lampes se mirent à clignoter. La lumière s'éteignit une ou deux secondes, puis revint. On entendit alors le tonnerre gronder dans le lointain.

— Vous avez peur, Jasmine ? demanda-t-il, l'air un peu amusé.

— Bien sûr que non !

Le roulement du tonnerre se fit entendre une nouvelle fois, accompagné de craquements sinistres et d'éclairs qui zébraient le ciel.

— Ah… C'est la tempête, on dirait, constata paisiblement Connor. Ne vous inquiétez pas : je suis là pour veiller sur vous.

Jasmine eut envie de lui dire qu'elle le craignait bien plus, lui, que l'orage, mais c'eût été avouer sa fragilité. Il n'était pas question de lui confier l'émoi qui était le sien lorsqu'il la frôlait, la touchait, l'embrassait, lorsque…

— Ne craignez rien, Jasmine, murmura-t-il d'une voix de velours, comme s'il pouvait clairement lire dans ses pensées.

Il frôla d'un doigt tendre et délicat sa joue, comme il aimait le faire parfois, et répéta de la même manière rassurante :

— N'ayez pas peur, ma chérie.

— Je... Je n'ai pas peur, assura-t-elle en tremblant. Simplement, je n'aime pas l'orage.

— C'est le bruit, qui vous effraie tant ? Ou bien les éclairs ?

— Ce qui m'épouvante, c'est de ne pas savoir quand ça va éclater... on est toujours surpris par les orages. Tout est calme, et soudain c'est l'apocalypse !

— C'est comme l'amour, plaisanta-t-il, mi-rieur misérieux. On est tout tranquille, insouciant, et puis ça vous tombe dessus comme un ouragan... On est électrisé, on est amoureux !

Dubitative, elle lui lança un regard en biais.

— Que pouvez-vous savoir de l'amour, vous, le Don Juan, le play-boy, le tombeur de ces dames ? Vous jouez avec les femmes, vous les consommez. Vous ne les aimez pas.

Interloqué, sidéré par ses propos, Connor la dévisagea pendant quelques secondes avant de répondre d'une voix froide et maîtrisée :

— Les Don Juan et les play-boys peuvent parfois tomber totalement amoureux, dit-il lentement avec une expression presque pathétique.

— Ça vous est arrivé souvent, de tomber vraiment amoureux ? s'enquit-elle, la gorge nouée.

— Non. En tout cas, pas assez de fois pour pouvoir en parler raisonnablement.

Bizarrement, Jasmine éprouva une sorte de douleur dans la zone du cœur, sans en connaître l'origine. Comme une pointe qui serait venue la piquer de l'intérieur...

— Et vous ? interrogea-t-il de manière brusque.

— Moi quoi ? grommela-t-elle pour gagner du temps afin de ne pas être prise au dépourvu.

Car elle avait parfaitement compris la question.

C'est alors qu'il y eut un éclair aveuglant, immédiatement

suivi d'une énorme déflagration, comme si une bombe venait de s'écraser sur la maison.

Connor avait immédiatement serré Jasmine dans ses bras pour la protéger.

Il la garda ainsi contre lui tandis que de nouveaux coups de tonnerre faisaient vibrer les murs de la vieille demeure.

La lumière s'était éteinte.

Pas très rassurée dans l'obscurité, Jasmine ne s'écarta pas de Connor.

— Le courant finira bien par revenir, murmura-t-il tout contre son oreille.

— Vous n'avez pas une lampe électrique ?

— Non, mais j'ai préparé un feu, dans la cheminée. Je vais chercher les allumettes...

A tâtons il finit par trouver la boîte d'allumettes, et alluma le petit bois qui forma bientôt une flamme jaune, hésitante, fragile.

L'orage semblait s'éloigner.

— Ouf ! j'ai cru que nous avions réellement des ennuis, commenta-t-elle, rassurée.

Connor ne répondit pas, et un étrange silence s'installa.

— Jasmine, dit-il au bout d'un long moment d'une voix un peu rauque. Nous avons des ennuis, d'une certaine manière... Il y a quelque chose qui nous manque terriblement...

Elle ne comprit pas où il voulait en venir.

— Quelque chose qui nous manque ? répéta-t-elle, désorientée. Mais quoi donc ?

Il la saisit subitement dans ses bras et l'enserra dans une étreinte passionnée.

— Ceci..., chuchota-t-il en plaquant sa bouche sur la sienne avec une folle ivresse.

7.

Un nouvel éclair illumina la pièce, mais Jasmine ne s'en soucia pas, pas plus qu'elle ne se préoccupa des coups de tonnerre qui suivirent.

C'était à l'intérieur d'elle que la véritable tempête se déchaînait ! Tandis que la bouche de Connor dévorait la sienne avec une fougue extraordinaire, elle se laissa griser par le merveilleux bouleversement qui l'enivrait, elle aussi. Il lui semblait que tous ses sens se déchaînaient. Chaque fibre de son corps criait sa joie, son désir, son exubérance.

Dans le tumulte de l'orage et de la passion, elle entendit le bruit discret de la fermeture Eclair qu'il faisait glisser le long de son dos. D'une main habile, Connor lui enlevait ses vêtements. Brûlante de désir, elle se laissa faire.

L'orage, à l'extérieur, paraissait se calmer, et leur tempête passionnelle s'apaisa graduellement elle aussi. Le souffle court, l'esprit vacillant, ils se détachèrent l'un de l'autre,

Ce qu'ils venaient de vivre, l'un et l'autre, avait atteint des sommets dans l'ardeur et la passion.

— Ah ! le feu s'est éteint…, murmura Connor. Je vais le rallumer.

Dans la pénombre, à la faible lueur des braises, il chercha une nouvelle fois les allumettes et en craqua une après avoir rassemblé les brindilles et le petit bois.

Une flamme d'un orange vif jaillit bientôt de l'âtre.

Chavirée par la volupté qu'elle venait de connaître, Jasmine dit doucement :

— Je ne prends pas la pilule, vous savez…

— J'ai un préservatif, ne vous inquiétez pas.

— Un seul ? demanda-t-elle sur un ton railleur.

Le bois qui flambait à présent dans la cheminée dispensait une lumière diffuse et dansante.

— J'ai tout ce qu'il faut, dit-il en souriant.

— Vous pensez à tout, décidément, grommela-t-elle sur la défensive.

Dès que Jasmine sortait du cercle passionnel, dès qu'elle se trouvait à l'écart de cet homme si envoûtant, si délicieusement sensuel, elle retrouvait l'indépendance et la réserve qui étaient naturellement les siennes. Elle changeait de registre en l'espace de quelques secondes, un peu à la manière du déchaînement orageux dans le ciel qui bouscule tout sur son passage puis s'éloigne.

Comme elle s'apprêtait à reprendre sa robe qui était restée par terre, il la ramassa et, par jeu, la tint hors de sa portée.

— Rendez-moi ça ! grommela-t-elle un peu honteuse de se trouver en sous-vêtements.

— Venez la chercher ! s'exclama-t-il avec un rire moqueur.

Elle se précipita vers lui, mais il l'esquiva en s'écartant souplement.

— Ça ne m'amuse pas du tout ! marmonna-t-elle, humiliée et furieuse.

Il finit par lui rendre sa robe avec l'air candide de celui qui vient de faire une bonne farce et qui estime que la plaisanterie est terminée.

Cependant, Jasmine fulminait de colère et d'indignation.

— C'est fou ce que vous pouvez être drôle, quand vous vous y mettez !

— Mais ce n'était qu'un...

— Si vous pensez que vous allez vous amuser comme ça durant le week-end, vous vous trompez lourdement ! Et n'imaginez pas que vous allez réussir à me séduire malgré moi !

— Ce n'est absolument pas mon intention, assura-t-il paisiblement. N'ayez crainte, Jasmine. Je ne suis pas le genre d'homme à abuser de vous si vous n'êtes pas d'accord.

— Non, vous seriez plutôt du genre à guetter le moment où l'on va craquer...

— Ah ! vous voyez ! Vous reconnaissez que vous êtes prête à craquer pour moi !

— Craquer pour vous ? Ah ! certainement pas ! rétorqua-t-elle avec véhémence.

Elle avait protesté trop vite et s'aperçut que Connor ne la croyait pas.

— Les liaisons faciles ne m'intéressent pas, assura-t-elle d'un ton obstiné.

— Vous ne pouvez pas qualifier notre union de « facile ». N'oubliez pas que nous avons déjà partagé le même lit, et surtout que nous sommes mariés. C'est amusant, non ?

— *Amusant ?* Vous avez une étrange manière de voir les choses. Moi, je ne trouve pas la situation amusante du tout.

Jasmine s'était assise sur un divan, non loin de la cheminée. Elle croisa les bras, et, comme elle tournait machinalement la tête, elle distingua une très belle écritoire ancienne dans un coin de la vaste pièce.

Connor remarqua son intérêt soudain.

— J'ai acheté ça l'autre jour lors d'une vente aux enchères, expliqua-t-il gaiement. Elle est belle, n'est-ce pas ? J'ai fait également l'acquisition d'autres meubles qui seront livrés mardi.

— Mardi ! Nous allons rester ici jusqu'à mardi ?

— Mais nous sommes en voyage de noces, ma chérie. Nous avons besoin de quelques jours pour nous... connaître mieux.

Il avait insisté sur le mot « connaître » afin de faire entendre sa signification biblique, et Jasmine comprit aussitôt.

— Je n'ai aucunement l'intention de vous « connaître », rétorqua-t-elle en appuyant elle aussi de manière ironique sur le mot.

Elle marqua une pause puis ajouta froidement :

— D'ailleurs, je ne vous aime pas.

Connor ne parut absolument pas affecté par la dureté de ce qui venait d'être dit.

— Vous ne m'aimez pas parce que vous ne vous aimez pas vous-même, décréta-t-il calmement.

— Oh ! je vous en prie ! Pas de freudisme à quatre sous ! J'ai passé ce stade-là.

Il se mit à glousser de rire, il avait l'air très amusé.

— A propos de Freud... Quel bel acte manqué — ou réussi, ça se discute — que votre « erreur » lors du mariage de votre sœur, lorsque vous êtes entrée dans ma chambre au lieu de la vôtre !

— Vais-je devoir payer toute ma vie pour une simple confusion de numéro de chambre d'hôtel ? rétorqua-t-elle avec exaspération.

Les grondements de l'orage, qui n'était pas totalement terminé, se faisaient toujours entendre dans le lointain.

L'air pensif, Connor se mit à disposer de nouvelles bûches dans la cheminée.

— Vous avez faim ? demanda-t-il soudain. Vous avez envie de manger quelque chose ?

— Sans électricité, il me semble difficile de préparer à manger.

Comme par enchantement, la lumière revint à cet instant précis.

— Vous voyez comme le ciel fait bien les choses ! commenta Connor, radieux. Allons dans la cuisine, si vous le voulez bien.

Elle le suivit jusqu'à la cuisine.

— Un peu de vin, ça vous tente ? dit-il en ouvrant le réfrigérateur. J'ai là une bonne bouteille de blanc.

En temps normal, Jasmine buvait rarement des boissons alcoolisées, mais aujourd'hui, elle avait envie de faire une exception. Elle éprouvait le besoin d'une ivresse autre que l'ivresse amoureuse.

— Du blanc, c'est parfait, répondit-elle d'un ton désinvolte.

Elle l'observa tandis qu'il cherchait un tire-bouchon et des verres. Il déboucha la bouteille d'un geste précis et remplit les deux verres.

— A nous ! lança-t-il en levant son verre tandis qu'il rivait son regard au sien.

Jasmine hésita et décida de ne pas trinquer sur cette formule bien trop optimiste.

Connor but une gorgée, une seconde, et reposa son verre.

Elle regardait son propre verre, indécise.

— Vous ne buvez pas ? dit-il gaiement. Ce bon vin va s'évaporer…

Après lui avoir jeté un regard noir, elle avala son verre d'un seul trait et vit que Connor la dévisageait avec un étonnement non dénué d'admiration.

— Eh bien, vous…

Il prit la bouteille.

— Un autre ? proposa-t-il avec un sourire réjoui.

— Pourquoi pas ? répondit-elle par défi.

— Il n'est peut-être pas très raisonnable de boire ainsi à jeun, hasarda-t-il d'un ton prudent.

— Je sais ce que je fais.

Elle vida une nouvelle fois son verre et s'essuya discrètement la bouche du bout de l'index.

Connor la considérait d'un air éberlué, presque inquiet.

— Je vois que vous avez besoin de vous changer les idées, murmura-t-il, pensif. Mais demain matin, vous allez peut-être regretter cet excès...

— C'est vous, sans doute, qui regrettez la manière dont je me comporte, car vos plans de séduction sont quelque peu contrariés par mon comportement, non ?

Elle eut un rire bref et se servit elle-même un nouveau verre.

— Je n'ai absolument aucun « plan de séduction », protesta Connor avec irritation. Nous ferons l'amour lorsque nous l'aurons décidé l'un *et* l'autre. Lorsque nous en aurons tellement envie qu'il n'y aura pas d'alternative.

— Il y a toujours une alternative, répondit Jasmine après avoir vidé son verre. En tout cas, mon père n'étant pas là pour me surveiller, je n'ai à m'inquiéter de rien.

— Vous aimez lui envoyer de petites piques de temps en temps, au père évêque, n'est-ce pas ? remarqua-t-il d'un ton amusé.

Jasmine ne répondit pas et c'est d'une main décidée qu'elle se versa du vin une fois de plus.

Elle but une ou deux gorgées, puis reprit, toute songeuse :

— Je n'aime pas les gens qui se préoccupent du ciel avant de s'occuper de la terre.

— Vous êtes dure pour votre père ! s'étonna Connor. Pour une fille d'évêque, vous avez des mots bien rudes !

Tout en fixant son verre d'un air pensif, elle répondit d'un ton rebelle :

— J'aime bien mes parents, mais je ne partage absolument pas leurs convictions religieuses et morales. Et je ne supporte pas qu'ils m'empêchent de vivre à ma guise. Je n'admets pas qu'on porte atteinte à ma liberté.

L'alcool la libérait de la retenue qui était habituellement la sienne.

— Il faudra que je me souvienne de ce que vous venez de dire, assura-t-il avec gravité.

— J'espère que vous vous en souviendrez, en effet.

Lorsqu'elle alla jusqu'à la table où Connor avait disposé un dîner sommaire, Jasmine chancelait un peu, mais elle se sentait les idées claires.

— Il y a simplement de la quiche au saumon et une salade, dit Connor en lui avançant une chaise. Ça ira pour vous ?

— C'est parfait.

Lorsqu'elle prit place, elle huma au passage l'odeur délicieuse qui émanait de lui, son parfum d'eau de toilette un peu épicé qu'elle aimait tant, ainsi que l'arôme naturel de sa peau, de ses cheveux.

Elle picora du bout de sa fourchette un peu de quiche et grignota une feuille de salade.

— Vous n'avez pas très faim, on dirait, remarqua-t-il d'un ton désolé.

— Non, mais j'ai soif, répondit-elle en tendant son verre afin qu'il le remplisse.

Elle vida la moitié du vin puis demanda brusquement :

— Il faut que je passe un coup de téléphone pour prévenir le dispensaire, pour qu'ils sachent que je ne serai pas là avant mardi ou mercredi...

— Je les ai déjà prévenus…

— Quoi ? Vous leur avez téléphoné !

D'un coup, Jasmine fut submergée par une colère irrépressible. Non seulement il avait eu l'impudence de faire rassembler ses affaires par la femme de ménage sans lui demander son avis, mais en plus il s'était permis de téléphoner au dispensaire.

Vraiment, il ne manquait pas d'air !

Elle se leva si brusquement qu'elle heurta la table. La bouteille et les verres se renversèrent avec fracas.

— Ce n'est pas très malin…, commenta Connor avec un regard noir. Vous feriez bien d'aller vous coucher, vous avez beaucoup bu…

Sans protester, elle se laissa conduire jusqu'à la chambre à coucher, une belle pièce donnant sur la mer, avec un vaste lit ancien qui trônait à un bout de la chambre.

— C'est joli, n'est-ce pas ? dit Connor avec un geste théâtral.

— Il n'est pas question que je dorme dans ce lit avec vous, marmonna-t-elle.

— Ah ? dit-il pour toute réponse.

Il n'y avait ni colère ni hostilité dans sa voix. Seulement une certaine déception.

— C'est impensable, ajouta-t-elle, obstinée.

— Très bien, concéda-t-il avec douceur. C'est comme vous voulez, Jasmine.

— Vous êtes tout à fait attirant, Connor. Vous êtes vraiment très…

Elle avait un certain mal à trouver ses mots et la tête lui tournait un peu.

— Vous êtes très beau, poursuivit-elle. Mais, je… je ne peux pas. Vous comprenez ? Je ne peux pas.

94

Il hocha la tête pour signifier qu'il avait compris et n'allait pas insister.

— Je comprends, dit-il calmement. J'irai dormir sur le divan du salon, en bas.

— C'est très… gentil à vous.

— Pas de problème.

Il rassembla rapidement quelques affaires et la laissa dans la grande chambre après avoir déposé un chaste baiser sur son front.

Avec un soupir las, elle se laissa choir sur le lit qu'elle trouva étonnamment mou.

Elle éternua soudain violemment, puis un deuxième éternuement la secoua. Sans doute restait-il un peu de poussière dans la chambre…

Elle se leva, alla jusqu'à la porte, descendit l'escalier, et ouvrit la porte du salon.

— Oh, pardon ! s'exclama-t-elle, interdite.

Entièrement nu, Connor était en train de préparer son lit.

— Il n'y a pas de mal, dit-il d'un ton dégagé. Vous aviez besoin de quelque chose ? Le lit n'est pas confortable ? La chambre est…

— Ce n'est pas cela, l'interrompit-elle, le rouge aux joues.

Elle était bouleversée par la nudité de Connor. Quel homme magnifique !

Comme hypnotisée, elle le fixa un moment, bouche bée.

Il se couvrit nonchalamment d'un peignoir et demanda d'une voix bienveillante :

— Qu'est-ce qu'il se passe, alors ?

— Je n'arrête pas d'éternuer, dans la chambre. Ça doit être une allergie à quelque chose, à la poussière ou à je ne sais quoi…

— On peut éternuer sans être allergique pour autant, répondit-il avec bon sens.

— Je crois que c'est le lit qui me rend allergique, insista-t-elle, mal à l'aise. J'ai les yeux qui piquent, et ma gorge est un peu irritée.

Il s'approcha d'elle et la regarda attentivement.

— Vos yeux me paraissent tout à fait normaux, dit-il à mi-voix tandis qu'il la scrutait minutieusement.

Il s'écarta un peu et ajouta d'une voix légèrement soucieuse :

— J'ai l'impression que vous réagissez de manière excessive, Jasmine. Et puis vous avez pas mal bu, reconnaissez-le.

— Je ne suis pas ivre ! protesta-t-elle, vexée.

— Je n'ai pas dit ça.

— Non, mais vous le pensiez.

— Pas du tout ! rétorqua-t-il, une lueur ironique dans le regard.

— Vous êtes encore en train de vous moquer de moi... Ce que vous pouvez être agaçant, parfois !

— Mais qu'allez-vous croire ? Je ne me moque pas de vous ! répondit-il avec véhémence.

Indécise, Jasmine fit quelques pas dans la pièce, se prit les pieds dans le tapis, et chancela.

Connor la rattrapa de justesse et la serra dans ses bras. Il paraissait soucieux.

— Vous êtes sûre que ça va, Jasmine ?

Elle était à présent tout contre lui, et la sensation qu'elle éprouvait était délicieuse.

— Oh oui, ça va ! acquiesça-t-elle dans un murmure heureux.

Elle leva les yeux pour trouver son regard, et c'est alors que se déclencha un phénomène merveilleux qui les entraîna dans la fabuleuse spirale de l'amour.

Leur baiser fut d'abord tendre, paisible, attentif. Puis un tourbillon de désir les saisit l'un et l'autre et le baiser devint follement ardent et passionné.

Il y avait un épais tapis devant la cheminée. Connor l'emmena jusque-là et Jasmine s'étendit docilement, toute brûlante de désir.

Un à un, avec une ferveur qui ressemblait à une célébration sacrée, il lui ôta ses vêtements. De temps à autre ses lèvres se posaient sur la partie qu'il venait de dénuder : une épaule, un sein, le haut d'une cuisse, la courbe d'un pied… Il paraissait enivré, lui aussi, et balbutiait des mots de désir et de bonheur.

— Oh ! Connor…, gémit-elle, totalement bouleversée par ce qu'elle vivait et qui était si nouveau pour elle.

L'expérience qui avait été la sienne jusqu'à ce jour l'avait terriblement déçue. Ce qui aurait dû être un acte d'amour avait abouti en définitive à un fiasco total. Elle en était restée frustrée et avait évité depuis lors de renouveler de telles tentatives.

Ce qu'elle vivait à présent allait au-delà de tout ce qu'elle aurait pu imaginer. C'était comme si une tornade de bonheur et de jouissance la transportait dans un monde nouveau pour elle : un monde de félicité, d'ardeur et d'amour.

Connor la pénétra doucement, très précautionneusement, tandis qu'elle agrippait sauvagement ses cheveux pour l'inviter en elle.

— Oui, oui, oui, oui…, répéta-t-elle au comble du plaisir. Viens, viens, viens…

Ils atteignirent ensemble le summum de la jouissance et leurs cris se mêlèrent, tandis que leurs doigts entrelacés se serraient follement.

Bien plus tard, lorsque Jasmine se leva pour aller dans

la salle de bains, elle constata que le regard de Connor ne la quittait pas.

Même après avoir fermé la porte, elle eut encore la sensation de ce regard qui semblait traverser la cloison pour venir jusqu'à elle.

8.

Dans la salle de bains, Jasmine prit tout son temps.

Avec une volupté nouvelle, d'une tout autre nature que les fulgurantes jouissances qu'elle venait de connaître, elle laissa couler sur son corps le torrent bienfaisant de la douche.

Elle s'étonna au passage du confort de cette vieille maison qu'elle avait connue délabrée, et qui avait été rapidement, efficacement, aménagée par Connor.

Lorsqu'elle revint dans le salon, Connor s'était occupé de la cheminée où brûlaient joyeusement de belles bûches soigneusement empilées.

Il avait déposé des coussins sur le tapis où ils venaient de faire l'amour, et s'y appuyait, toujours nu et magnifique, dans une pose nonchalante et heureuse, les yeux rêveusement fixés sur la danse des flammes.

— J'ai pris une douche, annonça-t-elle, la voix encore rauque des cris de plaisir qu'elle avait poussés sans le vouloir. Tu es content de me voir ?

Il la regarda d'un air surpris.

— Si je suis content de te voir ? Mais qu'est-ce que tu crois ? Pensais-tu que j'allais te dire : « Merci, au revoir, on se téléphone... » ?

Un sourire rassuré, radieux, aux lèvres, elle s'installa près de lui.

— Regarde l'effet que tu me fais, murmura-t-il en baissant les yeux.

Une formidable érection se dressait une nouvelle fois, ardente, exigeante, qui déclencha aussitôt en Jasmine une vague de désir.

Ils se reprirent avec une fringale, une exaltation nouvelle, et Jasmine connut une deuxième fois la folle sensualité de l'allégresse amoureuse, les sommets du plaisir.

A bout de souffle, enivrés et épuisés de jouissances répétées, ils retombèrent sur les coussins.

Pendant un très long moment, ils demeurèrent dans une sorte de somnolence béate, ponctuée de temps à autre par le craquement d'une bûche.

— J'aimerais revenir ici à Noël, chuchota-t-elle d'un ton rêveur. Et je verrais bien une jolie crèche, sur cette cheminée...

— Noël est dans neuf mois, murmura Connor, songeur. Nous avons le temps...

La lumière ondoyante des flammes éclairait d'une douce lumière dorée leurs corps comblés de voluptés.

— Tes seins sont absolument magnifiques, chuchota Connor.

— Toi, tu as des épaules fantastiques, répondit-elle dans un murmure en souriant tendrement. Quelle force tu as ! Quelle énergie...

Elle songea brusquement à toutes celles qu'il avait prises dans ses bras puissants et une ombre passa dans son regard. Connor s'en aperçut.

— Qu'y a-t-il, mon amour ? demanda-t-il doucement.

— Je...

Jasmine n'osait exprimer son trouble.

Il l'encouragea d'une voix très tendre.

— Parle sans crainte, Jasmine.

— Je me demandais si j'ai été… Comment dire…

Elle se tut de nouveau.

— … Si tu as été quoi ? insista-t-il délicatement.

— … Si j'ai été à la hauteur, débita-t-elle d'un trait, les joues rosies par l'émotion. Je ne suis pas habituée à… à…

— Tu es la femme la plus merveilleusement érotique que j'aie jamais connue. Et tu es la première avec laquelle j'ai totalement perdu le contrôle de moi-même. Ah oui, vraiment, ce fut pour moi un délice indescriptible !

Il la fixait avec une intensité qui la bouleversa, au point que les larmes lui montèrent aux yeux. Jamais compliment ne l'avait autant remplie de joie.

— C'était grandiose, Jasmine, ajouta-t-il d'un ton vibrant de sincérité. Tout simplement grandiose. Jamais aucune femme ne m'a transporté aussi loin.

Poussée par un élan de reconnaissance et d'amour, folle de bonheur, elle mit les bras autour de son cou.

Ils contemplèrent le feu sans mot dire pendant quelques minutes, puis Connor demanda d'une voix où perçait une certaine inquiétude :

— Tu en es où, dans ton cycle ?

Surprise par la question, Jasmine le dévisagea.

— Je ne vais pas tarder à avoir mes règles.

Il eut un soupir de satisfaction et parut rassuré.

— Je te demandais ça parce que nous n'avons pas pris de précautions. Mais je te rassure tout de suite : je suis absolument sain, sans la moindre…

— Je n'en doute pas, l'interrompit-elle, confiante.

— D'une manière générale, il faut faire très attention aux… rencontres que l'on peut faire. Certaines peuvent faire basculer une vie du jour au lendemain.

Jasmine eut envie de lui répondre qu'elle n'était pas le genre de femme à coucher avec le premier venu, puis une autre pensée, plus forte encore, se superposa à la première. Elle comprit soudain que cette « rencontre » avec Connor, cette « connaissance » au sens biblique du terme, n'était pas près de s'effacer. Toute sa vie elle garderait en elle le trésor inouï que constituaient ces moments extraordinaires qu'elle venait de vivre. Et cela quoi que lui réserve l'avenir.

Ces moments d'amour parfaits allaient rester gravés en elle pour toujours.

— Dormons, maintenant, proposa Connor en installant les coussins à quelque distance de la cheminée de manière à leur constituer un couchage confortable.

Il posa un baiser très tendre sur ses lèvres, puis se laissa tomber sur les coussins tout en gardant Jasmine serrée dans le creux de son bras.

A peine une minute plus tard, elle entendait sa respiration régulière. Il dormait profondément.

Pendant quelques minutes, elle contempla le jeu mystérieux et magique des flammes qui s'élevaient dans l'ombre, puis elle s'endormit à son tour tout contre lui.

C'était la première fois de sa vie qu'elle s'endormait dans un tel bonheur.

Le lendemain matin, en se réveillant, Jasmine entendit Connor qui s'affairait dans la maison.

Au-dehors, les oiseaux s'en donnaient à cœur joie, comme s'ils s'obstinaient à chanter la nouvelle union de Jasmine et de Connor.

Elle émergea de l'étrange lit qui avait été improvisé devant la cheminée avec des coussins et des couvertures, enfila le peignoir de Connor qui était resté sur le sol et alla dans la salle de bains.

Tout en faisant sa toilette, elle essaya de récapituler ces

dernières vingt-quatre heures qui avaient révolutionné sa vie. D'abord, il y avait eu cet étrange mariage, un mariage totalement insolite qu'elle avait accepté du bout des lèvres, puisqu'il le fallait bien. Ensuite il y avait eu ce voyage imprévu pour cette étrange vieille demeure. Jusque-là, tout s'était passé à peu près « normalement ».

Ce qui l'avait vraiment bouleversée, ç'avait été la découverte d'un continent totalement nouveau : elle était devenue une femme, avait accédé à des plaisirs et des jouissances qu'elle n'aurait jamais imaginés.

Le problème, toutefois, était que Connor était un homme à femmes, un play-boy habitué à passer d'une aventure à une autre. Sans doute constituait-elle pour lui une aventure, juste un épisode nouveau et piquant qui n'avait probablement guère d'importance à ses yeux.

Un danger plus grave encore la menaçait : autant Connor était détaché, autant elle était attachée. Il ne l'aimait pas, alors qu'elle était terriblement amoureuse de lui.

Ce décalage était réellement dramatique.

Comment allait-elle se sortir de cette situation invivable ? Il était hors de question d'aller trouver Connor et de lui dire : « Tu sais, tu m'as fait passer une nuit extraordinaire, et je suis follement amoureuse de toi... »

Un tel aveu était impensable. Il fallait qu'elle trouve une échappatoire afin de ne pas souffrir, mais existait-il véritablement une issue ?

Elle alla le rejoindre au fond du jardin où il était en train d'étendre la literie de sa chambre — de leur chambre — sur un fil à linge.

Lorsqu'il la vit venir, il eut un sourire radieux.

— Bonjour, mon petit amour. Comment te sens-tu, ce matin ? demanda-t-il avec bonne humeur.

— Pas très bien, marmonna-t-elle, mal à l'aise. J'ai mal partout.

Elle n'osait pas le regarder dans les yeux afin de ne pas succomber une nouvelle fois à son charme diabolique. Elle savait qu'elle pouvait craquer à tout instant, et se tenait donc sur ses gardes.

— Je me sens un peu responsable, dit-il doucement. Je ne savais pas que tu n'avais pas l'habitude de...

— Je n'étais pas vierge ! protesta-t-elle avec orgueil.

— Non. Pas à proprement parler, pas sur le plan physique. Mais manifestement, tu n'as pas l'habitude de ces... aimables galipettes. Et ce matin tu as des courbatures. C'est normal.

Il eut un rire léger qui la vexa.

— Ah... les galipettes ! répéta-t-elle avec hostilité. Il est vrai que Monsieur est spécialiste en la matière. Pirouettes, gambades, fantaisies et cabrioles en tout genre, Monsieur est un expert auprès des dames. Monsieur sait s'y prendre !

— Mais, Jasmine...

— Probablement tiens-tu un petit carnet où tu notes tes conquêtes, où tu inscris tes appréciations : « Le numéro 27 possède de remarquables coups de reins, mais a la poitrine plate... Le numéro 32 est bien trop passif... Le numéro 38 a une odeur qui ne me plaît pas... Le numéro...

— Assez ! grommela Connor, excédé.

— Et moi, là-dedans ? Quel numéro est le mien ? A quelles appréciations ou dépréciations ai-je droit ?

Comme elle fulminait, il la considérait d'un œil noir qui ne présageait rien de bon.

— C'est bien toi qui l'as voulu, commenta-t-il sèchement.

— Qui ai voulu quoi ? s'exclama-t-elle, furibonde.

— C'est toi, Jasmine, qui as fait le premier pas. Tu as

voulu faire l'amour avec moi ; j'en avais terriblement envie moi aussi, et nous l'avons donc fait. Mais tu savais ce que tu faisais.

— J'avais bu, et tu en as profité.

— Tu étais lucide ! Tu as fait un choix.

— Oh ! ce que je peux détester les hommes comme toi qui abusent des femmes et ne pensent qu'à leur plaisir... Vous êtes vraiment des égoïstes ! J'en ai assez, assez ! Je veux rentrer chez moi, aujourd'hui même.

— Ce que tu peux être mélodramatique, quand tu t'y mets ! Si tu rentrais dès le lendemain de ton mariage, la presse l'apprendrait immédiatement, et ce serait de nouveau les articles à scandale, toutes ces salades que nous avons réussi à neutraliser en nous mariant.

— Assez discuté ! s'exclama-t-elle, hors d'elle. De toute façon, tu auras toujours raison. Je vais faire un tour, j'ai besoin d'air.

Sur ce, elle tourna les talons avec détermination et fila droit devant elle pour rejoindre le sentier menant à la mer.

Lorsqu'elle fut sur la plage, la brise marine la calma aussitôt, comme par magie.

Elle alla s'asseoir sur un rocher et contempla rêveusement l'étendue immense. Des mouettes volaient au-dessus de sa tête et leurs cris se mêlaient au bruit du ressac.

Après le tumulte de la matinée, elle se sentait revivre.

Le temps passa sans qu'elle s'en rendît compte. Elle se sentait merveilleusement bien, à mille lieues de ses soucis, dans l'innocence et la force des éléments naturels.

Plus tard, bien plus tard, elle vit la haute silhouette de Connor venir vers elle.

— Tu sais quelle heure il est ? demanda-t-il sans préambule d'une voix courroucée.

— Je n'en ai aucune idée, et ça m'est complètement égal, répondit-elle, l'esprit ailleurs.

— Cela fait plus de trois heures que tu es partie !

— Trois heures ? Très bien. Et alors ?

— Tu pourrais prévenir, quand tu t'en vas pour si longtemps !

— Prévenir qui ? Pourquoi ?

— Tu pourrais m'avertir, simple question de bon sens, de politesse. Je suis ton mari, après tout !

— Ne prends pas trop au sérieux ton rôle de mari, marmonna-t-elle froidement.

Il sembla hésiter un instant.

— Allons, ma chérie, nous n'allons pas nous chamailler indéfiniment, n'est-ce pas ?

Comme, poussé par un élan de tendresse, il faisait un mouvement vers elle, Jasmine s'écarta brusquement.

— Je suis mécontente de toi, Connor, dit-elle en articulant chaque syllabe avec force.

— Ah ! ça me fait plaisir ! répondit-il avec un sourire ravi.

— Pourquoi cela te fait-il tant plaisir ? interrogea-t-elle, déroutée.

— Parce que cela me prouve que tu ressens quelque chose de fort pour moi. Et derrière le mécontentement, je devine des sentiments ardents qui me plaisent beaucoup.

Avant qu'elle n'ait pu réagir, il posa un bref baiser sur ses lèvres et répéta :

— Oui, des sentiments ardents qui me plaisent beaucoup...

Puis il fit demi-tour et repartit vers la maison d'un pas guilleret.

9.

Quelques minutes plus tard, Jasmine prit à son tour le chemin de la vieille demeure.

Elle se prépara un sandwich au fromage et à la tomate, car elle n'avait rien mangé de la journée.

Connor vint bientôt la rejoindre dans la cuisine. Après son irritation passagère, il paraissait à présent de très bonne humeur, et c'est d'un ton presque jovial qu'il demanda :

— Tu n'as rien à faire de spécial pour le moment ?

Jasmine secoua la tête.

— Pourrais-tu me donner un coup de main dans la bibliothèque ? J'ai une série de livres à trier.

— Des livres ? dit-elle, subitement intéressée.

— Il y a toute une série de vieilles éditions que je voudrais classer…

— Oh ! allons-y ! s'exclama-t-elle avec enthousiasme.

Elle avait toujours eu une passion pour les livres, et particulièrement pour les éditions anciennes qui présentaient à ses yeux un attrait incomparable.

La bibliothèque n'était pas très grande, mais possédait des rayonnages allant du sol au plafond.

En voyant tous ces livres rangés, dont certains paraissaient assez anciens, Jasmine ressentit un plaisir immédiat.

— C'est formidable ! murmura-t-elle, admirative, en se tournant vers Connor.

— Il y a quelques exemplaires anciens qui ont une grande valeur, je crois, commenta-t-il avec un sourire engageant.

— Ah ! si j'avais pu savoir qu'il y avait tant de livres dans cette vieille maison...

— Tu aimes les livres à ce point ? s'étonna-t-il.

— Oh oui ! La simple vision de pages imprimées me remplit de joie. J'aime feuilleter les vieilles éditions, respirer leur odeur, palper leurs feuilles, tout en sachant qu'autrefois, d'autres femmes, d'autres hommes, jeunes ou vieux, se sont longuement penchés sur ces mêmes pages... Ça me fait rêver ! Tu permets que je reste un peu ici ?

— Evidemment.

Elle tendit la main vers l'un des ouvrages rangés sur un rayonnage qui se trouvait à son niveau. Elle le sortit précautionneusement de son emplacement. C'était un volume recouvert d'un cuir très fin patiné par le temps.

Elle le caressa machinalement, l'ouvrit, le referma, toute pensive, et le remit à sa place. Connor la regardait faire avec une étrange flamme dans le regard.

— Connor, murmura-t-elle, je...

Troublée par le scintillement de ses yeux, elle s'interrompit. Dieu du ciel que cet homme était séduisant !

— Que voulais-tu me dire, Jasmine ? reprit-il au bout d'un moment d'une voix feutrée.

Les mots restaient sur ses lèvres. Elle aurait voulu lui expliquer l'attirance qui était la sienne, l'amour qu'elle ressentait pour lui, l'élan qui l'habitait et qu'elle était obligée de contenir, mais c'était une confession trop difficile à faire. Sans doute aurait-il pris à la légère ce genre d'aveu. Sans doute aussi était-il habitué à ce que toutes les femmes soient amoureuses de lui.

C'est avec l'air le plus détaché possible qu'elle répondit :

— Rien… Ça n'avait pas d'importance…

— Reste là tout le temps que tu veux, dit-il gaiement. Je m'occuperai du déjeuner.

— C'est gentil ! s'exclama-t-elle, surprise par cette bienveillance tout à fait inattendue de sa part.

Ce fut un merveilleux voyage qu'elle accomplit dans cette pièce poussiéreuse et modeste, mais remplie d'inestimables trésors. Elle passait avec enthousiasme d'un livre à l'autre, en découvrait un troisième, puis un autre encore. Elle survolait les pages avec une sorte d'ivresse, emportée par une bribe de récit, par une description, par des dialogues, par des personnages qui s'animaient sous ses yeux tandis qu'elle tournait les pages.

Elle ne vit pas le temps passer et, lorsque Connor vint lui proposer de déjeuner, elle eut l'impression qu'il venait de quitter la pièce un instant plus tôt.

Ils s'installèrent l'un en face de l'autre à la table de la cuisine. Connor avait préparé le déjeuner avec un savoir-faire qui stupéfia Jasmine.

— Tu sais même faire la cuisine ! s'exclama-t-elle en riant tout en se servant avec gourmandise.

— Oh ! c'est tout simple, répondit-il avec un petit sourire.

Ils mangèrent de bon appétit.

Après un temps de silence, Connor s'éclaircit la gorge, l'air tout à coup soucieux. Jasmine devina que quelque chose le tracassait, mais quoi ?

— Est-ce que tu trouves que ma présence est une gêne ? demanda-t-il tout à trac.

— Quelle question ! Mais non, pas du tout.

Il se versa un peu de vin. Jasmine avait refusé d'en prendre.

— Est-ce que tu sens quelque chose de menaçant chez moi ? insista-t-il.

Elle posa son couteau et sa fourchette et s'essuya le coin des lèvres.

— Je ne te trouve pas menaçant, répondit-elle avec calme. Je te trouve... dérangeant.

— Dérangeant ? répéta-t-il, sidéré. Pourquoi ?

— Parce que tu me pousses trop loin.

— En quel sens ? interrogea-t-il en la dévisageant d'une manière intense.

— Dans tous les sens.

Connor s'adossa à sa chaise en émettant un bref soupir.

— Ne pourrais-tu être un peu plus précise ?

Jasmine posa les mains à plat de chaque côté de son assiette.

— D'abord, tu ne respectes pas mon espace vital.

— Tu veux dire que je suis trop proche, trop collant ?

— Collant n'est pas le terme. Tu es trop présent, trop près de moi, et ça me perturbe.

Il prit un instant de réflexion, puis répondit avec gravité :

— Tu vois, Jasmine, il y a chez toi une sorte de contradiction, de dissociation. Ce que ton corps extériorise ne correspond pas à ce que tu exprimes avec tes mots. C'est ainsi que souvent tu dis « non » alors que tout ton être dit « oui ».

— Bah... tu dis n'importe quoi, grommela-t-elle en fronçant les sourcils.

— Prenons par exemple la nuit dernière, reprit-il en se penchant un peu vers elle tout en s'appuyant sur la table.

Troublée, Jasmine battit un instant des paupières.

— Eh bien ? dit-elle sur la défensive.

— Tu avais passé toute la journée à me faire comprendre, à me faire savoir que tu ne voulais pas de moi, et le soir,

110

lorsque nous nous sommes retrouvés l'un près de l'autre, c'est ton corps qui a décidé des choses, ton instinct. Ce n'est pas ta tête.

— Ce qui s'est passé hier soir est une erreur, marmonna-t-elle, le rouge aux joues.

— Tu peux interpréter les choses de cette manière si cela te rassure, mais je crois, moi, que notre idylle était inévitable. C'était dans l'ordre des choses. Nous nous désirions follement, même si tu te refusais à le reconnaître.

— A t'entendre, on dirait que nous n'avions pas le choix, ni l'un ni l'autre !

— Mais c'est le cas. Nous n'avions pas le choix, Jasmine. Ce qui est arrivé *devait* arriver !

— C'est uniquement parce que tu guettais ce moment.

— Absolument pas ! Il n'était pas question, pour moi, de t'embarquer dans une aventure que tu n'aurais pas souhaitée, ou pour laquelle tu n'étais pas encore prête. J'ai patiemment attendu que tu fasses le premier pas.

— Le « premier pas » ? répéta-t-elle avec un rire amer. Qu'entends-tu par là ? Quelle attitude ai-je adoptée ? T'ai-je regardé dans les yeux plus de quinze secondes ?

Il eut un sourire indulgent.

— Tu as vraiment du mal à admettre la réalité, murmura-t-il avec un soupir.

— Quelle réalité ?

— Tu avais autant envie de moi que moi de toi. Et cela, tu ne veux pas l'admettre, c'est tout de même inouï !

Elle secoua la tête, au supplice devant cette épreuve qui la remettait fondamentalement en cause.

— Depuis que je te connais, je ne suis plus la même. Tu me fais ressentir des choses que je ne...

Comme elle laissait sa phrase en suspens, Connor l'encouragea d'une voix douce :

111

— Dis-moi, Jasmine. Quel est ce sentiment que tu ressens et que tu as tant de mal à me dire ? Parle-moi sans crainte, mon ange. Tu sais que tu peux te confier à moi…

— J'ai la sensation, avec toi, de… d'être quelqu'un d'autre… D'habitude, je suis une femme organisée, qui sait ce qu'elle veut. Mais avec toi…

— Que se passe-t-il, avec moi ? insista-t-il avec une tonalité caressante.

— Avec toi, je perds mes moyens, avoua-t-elle en le regardant droit dans les yeux. J'ai le sentiment de ne plus rien contrôler…

— Est-il absolument nécessaire de tout vouloir contrôler ? Il s'agit d'être soi-même, tout simplement. Sois toi-même, mon amour, et tu seras heureuse.

— Je me demande si je suis encore capable d'être moi-même, murmura-t-elle d'une voix faible. Les événements de ces dernières semaines m'ont profondément remuée. Et puis…

Elle hésita un instant.

— Et puis…, répéta Connor avec douceur.

— Je… Je ne peux pas en parler pour le moment, avoua-t-elle, déchirée. C'est trop difficile.

Sans doute Connor devina-t-il en cet instant l'intensité de son désarroi, car il posa dans un mouvement très doux sa tête contre la sienne, front contre front, ce qui signifiait secrètement : « Ne te fais pas de souci, je suis là, je te protégerai… »

Bouleversée, Jasmine avait fermé ses yeux qui se mouillèrent de larmes.

Ils restèrent ainsi une longue minute, sans dire un mot, les yeux clos, mais sachant l'un et l'autre qu'ils étaient ensemble, unis comme ils ne l'avaient jamais été encore.

Puis Connor recula un peu. Jasmine ouvrit les yeux et vit son regard sombre qui la sondait avec intensité.

Il posa sa bouche sur sa bouche dans un baiser très doux, un léger effleurement. Dès lors, elle désira un baiser bien plus poussé, passionné, sans limites, total.

Une frénésie soudaine s'était emparée d'elle, un feu coulait dans ses veines…

— Connor…

Il prit son visage entre ses mains et la fixa ardemment en chuchotant :

— J'ai envie de toi, Jasmine.

— Oui, je sais…, articula-t-elle d'une voix à peine audible.

Elle avait failli ajouter : « Moi aussi », mais n'était pas allée au bout de sa phrase. Déjà, il l'avait saisie d'une main ferme et il l'emmenait jusqu'à la chambre du premier étage.

Le cœur de Jasmine battait à tout rompre tandis qu'elle montait l'escalier.

La perspective des folles jouissances qu'elle avait découvertes avec lui, et qu'elle allait retrouver dans un moment, l'enivrait comme une drogue.

Connor la fit asseoir sur le grand lit, et la considéra un long moment avec des yeux brûlant de désir.

Il entreprit de lui enlever ses vêtements. D'abord le T-shirt, qu'il dégagea avec une habileté de magicien, puis il dégrafa la ceinture de son jean et, en très peu de temps, elle fut totalement nue.

Il ôta ses propres vêtements en l'espace d'un clin d'œil, et vint s'allonger contre elle sans cesser de la fixer de son regard enflammé.

— J'ai envie de toi, Connor, si tu savais… Je ne sais pas comment tu fais : tu me rends folle de désir…

Il se coucha sur elle d'une manière si délicate qu'elle sentait à peine son poids.

— Tu ne me reprocheras pas de t'avoir amenée sur ce lit contre ton gré ? murmura-t-il en souriant.

— Non, c'est promis, assura-t-elle dans un souffle, le feu aux joues, le feu au corps.

— Parce que si ce devait être le cas, je préfère en rester là, railla-t-il malicieusement. Nous pourrions, par exemple, descendre dans la cuisine ou dans le salon et prendre une tasse de thé.

Elle l'incendia du regard.

— Si tu ne me fais pas l'amour tout de suite, je te promets un bel esclandre auprès des médias ! Je leur dirai que tu es incapable de remplir ton devoir conjugal.

Il eut un rire amusé.

— Oh ! j'adore ça : « le devoir conjugal » ! Il faudra que tu me le répètes, dans le futur…

— Tais-toi ! Prends-moi, exigea-t-elle, tremblante de désir. Je n'en peux plus…

— Ah ! ce que je peux aimer ces rares moments où tu me supplies de te faire l'amour !

Jasmine le saisit alors par les cheveux en enfonçant ses doigts dans la broussaille brune qu'elle aimait tant. Elle l'attira contre lui et se positionna de telle manière qu'il puisse la pénétrer immédiatement, sans plus attendre.

Elle n'en pouvait vraiment plus.

Lorsqu'elle le sentit au plus profond d'elle-même, un cri lui échappa, une exclamation presque animale qu'elle ne put retenir.

— S'il te plaît, Connor, ta main…, chuchota-t-elle à son oreille.

Connor comprit aussitôt, et sa main descendit pour caresser le point extrême de sa volupté, ce qui déclencha en elle une tempête violente, où la jouissance éclatait avec une puissance inouïe.

Elle l'entendit émettre lui aussi un râle de plaisir. Ensemble, ils avaient atteint cette zone limite de l'amour qui abolit le temps et l'espace.

Ils demeurèrent ensuite un très long moment immobiles, totalement heureux, planant dans un espace infini, comme drogués par le plus extraordinaire des stupéfiants.

C'est bien plus tard que Connor retrouva la parole.

— Tu es incroyable, murmura-t-il à mi-voix.

— Toi aussi, répondit-elle aussitôt, rêveuse. Tu es un amant extraordinaire…

— Pas un amant. Un mari !

— C'est vrai… J'oubliais. Je ne sais pas comment tu fais pour me donner autant de plaisir ! C'est sans doute l'expérience. Tu as eu tellement de femmes dans ton lit …

— Oublions le passé, grommela-t-il. C'est le présent qui compte. C'est toi.

— Moi, pour l'instant, marmonna-t-elle. Mais combien de temps cela durera-t-il ? Je me le demande.

— Ça durera ce que ça durera.

Soudain inquiète, Jasmine fut envahie par une angoisse incontrôlable. La formule qu'il venait d'employer était aussi vague que redoutable.

Combien de temps durerait leur étrange mariage ? Une fois que les médias seraient calmés, et quand l'héritage maternel serait débloqué, Connor n'allait-il pas se détourner d'elle pour voir ailleurs, commencer une nouvelle aventure ?

Le cœur serré, elle enchaîna d'une voix sourde :

— Et ça ne durera peut-être pas…

Après l'extraordinaire moment de bonheur qu'elle venait de vivre, ces extases incroyables, elle ne pouvait envisager de mettre fin à leur relation. Le quitter serait une véritable torture.

— Ce sera comme tu le souhaites, Jasmine, dit Connor

de sa belle voix grave. Je ne te forcerai pas à rester auprès de moi dans l'avenir si tu ne le désires pas.

« Mais je n'ai envie que de cela ! eut-elle envie de s'écrier. Je ne veux pas te quitter ! »

— Ne t'inquiète pas, insista-t-il avec douceur.

— Je ne m'inquiète pas, car je sais que notre mariage n'est qu'un arrangement pour la commodité. Un arrangement temporaire.

— Temporaire ? Pas forcément…, répondit-il d'un ton méditatif.

Elle tourna brusquement la tête pour lire dans son regard. Ce qu'il venait de dire la stupéfiait.

— Que veux-tu dire ? demanda-t-elle, le cœur battant à tout rompre.

— Je veux dire que nous ne sommes pas forcés de mettre fin à notre union si nous ne le souhaitons pas.

Jasmine se mordilla nerveusement la lèvre.

— Mais… tu n'envisages tout de même pas de rester toute ta vie avec moi !

— Et pourquoi pas ? dit-il en souriant. Tu penses que je ne pourrais pas être un bon père ?

— Non, murmura-t-elle, désemparée.

— Non ? Je ne le pourrais pas ?

— Si, si ! rectifia-t-elle, affolée. Je suis sûre que tu pourrais être un père merveilleux.

L'espace d'une seconde, elle eut la vision d'un bébé avec des yeux couleur chocolat et un beau visage ouvert et souriant, comme l'auteur de ses jours.

Bouleversée, elle prit une profonde inspiration.

— Mais nous ne nous aimons pas, argumenta-t-elle d'une voix mal assurée. Nous nous désirons. Ce n'est pas la même chose. Le désir n'a parfois rien à faire avec l'amour.

— Tu sais, Jasmine, la plupart des couples mariés n'ont

116

plus d'amour au bout de quelques années. C'est l'habitude qui l'emporte. L'amour s'est usé.

— Ton cynisme est vraiment encourageant !

— Il faut voir les choses en face. Plus des deux tiers des mariages se terminent par un divorce ou une séparation. Quant au tiers restant, je ne suis pas sûr qu'il comprenne beaucoup d'amoureux.

— C'est fou ce que ta vision de l'amour est optimiste ! commenta-t-elle avec un rire sans joie. Et nous, dans cette optique, où nous situes-tu ? Sommes-nous également condamnés à la morosité conjugale ?

— Non.

— Ah ? Tu me surprends !

— Pour nous, c'est tout différent, parce que nous ne sommes pas mariés avec l'illusion de l'amour. Nous avons adhéré à un mariage d'arrangement. Nous ne nous sommes jamais illusionnés pour ce qui est de…

— Alors, il est absurde d'évoquer la venue d'un enfant dans un tel couple ! interrompit-elle sèchement. Un enfant n'a rien à faire auprès d'un couple qui vit dans l'indifférence ou dans la haine.

— Mais nous ne nous haïssons pas ! protesta-t-il avec énergie. Tu ne peux pas dire ça ! Et ne joue pas à celle qui me déteste. Ça ne prend pas !

Elle releva le menton avec un air de défi.

— Tu es bien sûr de toi, Connor.

— C'est possible, admit-il avec un sourire espiègle.

— En tout cas, je dois reconnaître que tu prends la vie du bon côté, reprit-elle d'une voix paisible. Tu t'amuses, tu passes aimablement d'une femme à l'autre, sans états d'âme…

— Je ne suis pas un tombeur en série ! Je choisis, voilà tout.

— Je te remercie pour ton choix, en ce qui me concerne,

117

dit-elle à la fois amusée et flattée. Est-ce que tu regrettes ce choix ?

— Certainement pas, répondit-il sans la moindre hésitation.

Jasmine sentit une bande de joyeux petits diablotins enflammés se mettre à danser une ronde allègre autour de son cœur.

Elle posa une main sur son ventre, sourit rêveusement, puis annonça :

— Je vais aller me faire couler un bain.

Connor la considéra d'un air malicieux.

— Je le prendrai avec toi, si tu veux bien.

— Mais la baignoire est trop petite !

— On se fera tout petits.

Elle sortit du lit, enfila un peignoir et se dirigea vers la salle de bains tandis que Connor la regardait s'éloigner.

Il lui semblait marcher sur un nuage.

« Mais non, songea-t-elle. Ce n'est pas de l'amour, c'est simplement le résultat d'une sexualité débridée. »

Lorsque Connor vint la rejoindre dans la baignoire, Jasmine se tassa à une extrémité de celle-ci sans dire un mot.

Il s'installa d'abord face à elle, son habituel sourire aux lèvres, puis se pencha et l'embrassa avec ferveur.

— Viens contre moi, murmura-t-il d'une voix rauque.

Docilement, elle se tourna de manière à être assise contre lui, entre ses jambes. Son dos reposait contre sa solide poitrine et elle laissa aller la tête sur son épaule, à la fois troublée par cette position insolite, et décontractée par la tiédeur de l'eau.

Quand elle sentit l'ardeur de son érection, sa décontraction cessa tandis que le désir l'envahissait de nouveau avec une intense exigence.

Pendant quelques instants, ils bougèrent doucement, de manière à se placer dans la meilleure position possible, sans se soucier de l'eau qui débordait et arrosait le sol.

Lui tournant toujours le dos, Jasmine appuya une main sur chaque bord de la baignoire et se plaça exactement sur le sexe vibrant qui se dressait sous elle.

La sensation était vertigineuse ; ils se frôlaient sans se pénétrer.

Dans l'attente de la volupté qu'elle n'allait pas tarder à connaître, elle ferma les yeux, anticipant le plaisir à venir.

— Je peux ? demanda-t-elle dans un murmure.

— Oh oui, oui ! répondit-il d'une voix rauque.

Dans cet étrange abandon vertical, Jasmine se laissa lentement glisser sur lui, et fut instantanément irradiée par une extraordinaire sensation. Elle ne put retenir un cri de jouissance qui résonna curieusement dans la salle de bains. Connor, lui aussi, avait poussé un soupir d'extase.

C'est dans cette bizarre position qu'ils se possédèrent, avec des mouvements lascifs, mais contrôlés, afin que toute l'eau de la baignoire ne passe pas par-dessus bord.

Ils durent cependant se rendre à l'évidence quelques minutes plus tard.

— Tu as mis de l'eau partout ! constata Connor, amusé. C'est l'inondation.

Jasmine lui mordit doucement l'épaule, cette magnifique épaule musclée, bronzée, qu'elle aimait tant caresser.

— Tu en as mis autant que moi ! s'exclama-t-elle en riant. Ne fais pas l'innocent !

Avec un amusement presque enfantin, Connor fit gicler l'eau pour arroser copieusement le visage de Jasmine qui riait à gorge déployée.

— Je te déteste, Connor Harrowsmith ! s'écria-t-elle, toujours en riant. Va au diable !… J'aurais voulu ne jamais te connaître !

Naturellement, elle ne pensait pas un mot de ce qu'elle disait.

10.

Les jours suivants se déroulèrent dans la même insouciance, dans le même bonheur.

De temps à autre, Jasmine allait faire de longues promenades le long de la mer pendant que Connor s'activait à réparer la vieille maison où il y avait encore pas mal à faire. Lorsqu'elle revenait de la plage, elle le trouvait en train de clouer, de scier, de visser... Il travaillait sans relâche, et toujours avec bonne humeur.

Jasmine ne cessait de s'étonner de cette efficacité dans le travail manuel. Cela la changeait des idées paternelles sur le sujet : l'évêque avait toujours considéré le travail manuel comme dégradant.

Les nuits qu'ils passaient ensemble étaient passionnées, incroyablement délicieuses. Jasmine n'avait jamais imaginé, jusqu'alors, à quel point la passion amoureuse pouvait transformer les êtres.

Lorsque Connor était couché de tout son poids sur elle et qu'elle se tendait vers lui pour une jouissance sans cesse renouvelée, elle atteignait un domaine dont elle n'avait jamais soupçonné l'existence. Chaque nuit ressemblait à un miracle.

Le mardi arriva bien trop rapidement et il fallut faire les bagages !

La réalité, le quotidien, le travail, les soucis allaient prendre le pas sur cette idylle inespérée, incroyable, qu'ils venaient de vivre.

Elle s'était mariée à contrecœur, parce qu'elle n'avait pas le choix, et, en sortant du temple après la brève et stricte cérémonie, elle envisageait le pire.

Pourtant, c'était le meilleur qu'elle venait de vivre, lors de cette lune de miel inattendue, improvisée, merveilleuse !

Tandis qu'elle rassemblait ses affaires, Jasmine avait le cœur serré.

Connaîtrait-elle encore, dans le futur, des journées et des nuits aussi enchanteresses ?

C'est avec un regard embué de larmes qu'elle regarda défiler le paysage tandis que Connor conduisait sur la route du retour.

Ils restèrent silencieux durant le voyage, chacun plongé dans ses pensées, ses soucis.

La voiture s'immobilisa enfin à Woollahra, l'un des plus beaux quartiers de Sydney, devant la maison de Connor.

Jasmine possédait maintenant sa propre clé. Elle s'apprêtait à l'insérer dans la serrure, pendant que Connor sortait les bagages du coffre, lorsque la porte s'ouvrit.

Maria, la dame qui s'occupait du ménage et de la maison, la salua dans un anglais très approximatif, avec un fort accent italien.

— Ah ! c'est vrai… Vous n'avez pas encore fait connaissance, s'exclama gaiement Connor qui venait de les rejoindre.

Il enchaîna en s'adressant à Maria dans un italien remarquable, tandis que Jasmine le considérait avec des yeux ronds.

— J'ai appris l'italien quand j'étais en Sicile, expliqua-t-il avec un clin d'œil. J'y ai séjourné six mois. Maria parle à peine anglais, c'est la raison pour laquelle nous nous exprimons en italien, elle et moi. Il faudra que tu apprennes quelques mots, ce sera plus simple.

Il se tourna de nouveau vers son employée et lui dit quelque chose que Jasmine ne comprit pas. Maria parut enchantée.

— Je viens de lui annoncer qu'elle avait congé aujourd'hui, dit Connor avec un sourire malicieux.

— Mais pourquoi ? s'étonna Jasmine.

— Parce que je te veux pour moi tout seul, répondit-il avec un regard brûlant.

Un énorme et merveilleux soulagement envahit soudain Jasmine. Durant tout le voyage, elle avait craint que la formidable aventure qu'elle avait connue avec Connor ne prenne fin avec leur retour, mais ce n'était pas du tout le cas : il paraissait plus amoureux que jamais !

Maria s'éclipsa discrètement, et les jeunes mariés se précipitèrent dans la chambre du premier étage. Avides de caresses et de plaisir, ils se jetèrent sur le lit.

Jasmine avait tellement envie de Connor qu'elle lui arracha presque sa chemise tandis qu'il déboutonnait fébrilement son corsage. En quelques secondes ils furent nus, et alors recommença pour eux la danse amoureuse dont ils possédaient maintenant le secret.

Une nouvelle fois, Jasmine connut des extases extraordinaires. C'était comme si Connor représentait une drogue pour elle. A présent, elle ne pouvait plus se passer de lui, de ses caresses, de sa fougue amoureuse.

C'était tellement fort qu'elle ne se posait même plus la question de savoir s'il l'aimait, un peu, beaucoup ou pas du tout. Ce qui importait pour elle, c'étaient ces fantastiques et sauvages chevauchées qui la comblaient au-delà de toute raison et la laissaient pantelante de bonheur.

Jasmine s'était endormie avec sur les lèvres un sourire angélique et Connor, appuyé sur un coude, la contemplait.

Ils venaient de vivre des instants magiques, tels qu'il n'avait jamais connus jusqu'alors auprès des autres femmes : le summum de la perfection amoureuse. Il y avait une raison à cela, songea-t-il, bouleversé par ce qui lui arrivait.

Cette raison était simple : ce qu'il éprouvait pour Jasmine était tout simplement de l'amour, avec un grand « A ». Jusqu'à présent, il ne s'était pas vraiment préoccupé de ses sentiments à l'égard de sa toute nouvelle épouse. Il était heureux auprès d'elle, la désirait follement, mais il n'avait pas compris que quelque chose de très profond avait pris naissance en lui : l'amour, l'amour véritable comme il ne l'avait jamais connu.

Allongé tout près d'elle, il percevait sa douce et régulière respiration tandis qu'elle dormait. Le cœur rempli d'amour, il passa délicatement un doigt dans la soie de sa chevelure.

A présent, il savait qu'il ne pouvait plus se passer d'elle. Ce sentiment était tellement fort qu'il eut envie, un instant, de la réveiller pour lui dire à quel point il l'aimait.

Respectueux de son sommeil, il s'en abstint. Après tout, il avait tout l'avenir devant lui pour lui expliquer le changement qui s'était opéré en lui.

Le lendemain matin, quand Jasmine arriva au dispensaire, elle sentit tous les regards se braquer sur elle.

Evidemment, tout le monde était au courant de ce mariage aussi imprévu que secret. La plupart des journaux avaient relaté l'aventure du plus célèbre play-boy de Sydney qui, enfin, avait rencontré la femme de sa vie.

Ses collègues de travail les plus proches la félicitèrent chaleureusement, lui posèrent des questions…

Ce ne fut pas un exercice de tout repos pour Jasmine qui, bien évidemment, ne pouvait confier à personne la véritable raison de ce mariage.

Lorsqu'elle rentra à ce qu'il était convenu d'appeler « le domicile conjugal », elle se sentait vidée.

Le téléphone sonna peu de temps après son retour. C'était Samantha, la sœur de Jasmine, dont le mariage avait occasionné cette bizarre rencontre avec Connor.

— Petite cachottière ! s'exclama Sam. Maman m'a raconté ton mariage avec Connor. C'est incroyable !

— C'est comme ça, commenta sobrement Jasmine, l'écouteur calé au creux de son épaule, tandis qu'elle consultait machinalement le courrier qu'elle venait de prendre dans la boîte aux lettres.

— Personne ne s'attendait à ça ! reprit Sam. Je croyais que tu n'avais aucune sympathie pour Connor Harrowsmith ?

— Je le croyais aussi. Tu vois, les choses peuvent changer, dans la vie.

— Alors, c'est le bonheur ? demanda Sam, tout excitée.

Jasmine marqua un très léger temps avant de répondre par un « oui » sincère.

C'était le bonheur, certes, mais un bonheur fragile, songea-t-elle, profondément émue.

Connor ne lui avait pas avoué son amour, et elle pensait encore qu'elle ne représentait pour lui qu'une agréable passade en même temps qu'une honorable façade.

— Tu n'es pas fâchée contre papa et maman ? questionna Sam d'une voix soucieuse.

— Pourquoi le serais-je ?

— Ils sont tellement vieux jeu… Et cette manière qu'ils ont eue d'exiger le mariage pour la simple raison qu'on vous a découverts dans le même lit ! Ça ressemble à du mauvais théâtre de boulevard. Moi, en tout cas, je suis très heureuse de ton mariage avec Connor. C'est un homme de grande valeur, qui mérite bien plus que la réputation qu'on lui a faite.

— C'est vrai, dit Jasmine, pensive.

— Quand je pense à la jeunesse qu'il a eue, sans sa mère, sans son père… et sans argent ! La vie n'a pas été facile pour lui.

— Heureusement que sa mère lui a légué sa fortune, enchaîna Jasmine.

— C'est ce que je pensais, mais Finn m'a expliqué l'autre jour que l'héritage de sa mère se réduit à zéro dollar.

Stupéfaite, Jasmine se figea. Si Connor n'héritait pas de sa mère, pourquoi s'était-il servi de l'argument de l'héritage pour l'épouser ? Il y avait quelque chose de pas très clair dans cette histoire…

— Tu es sûre et certaine que sa mère ne lui a rien laissé ? insista Jasmine, déroutée.

— En tout cas, s'il y a eu de l'argent, il n'en reste rien. Plus un sou. C'est peut-être sa belle-mère qui a tout dépensé, je n'en sais rien.

Complètement perturbée, Jasmine mit bientôt fin à la conversation.

Elle était consternée, furieuse. Connor lui avait menti en prétendant l'épouser pour débloquer un héritage inexistant !

Pourquoi ce mensonge ?

Lorsque Connor rentra chez lui, le mal de tête qui le taraudait depuis quelques heures s'amplifia d'un coup. Il craignait un affrontement avec Jasmine depuis le moment où on lui avait signifié, dans l'après-midi même, que l'héritage de sa mère n'était que du vent.

Comment Jasmine allait-elle prendre la chose ? Avait-elle déjà été mise au courant par quelqu'un de sa famille ?

Connor était allé voir son beau-père afin de faire le point sur ce fameux héritage. Il souhaitait que les formalités notariales soient réglées au plus vite.

Or, son beau-père l'avait accueilli plutôt fraîchement et, non sans circonlocutions, lui avait expliqué, avec moult commentaires, que l'héritage de sa mère avait été entièrement dépensé.

— Tu comprends, Connor, nous t'avons mis dans les meilleures écoles... Tu nous as coûté beaucoup d'argent... Tu sais, un enfant est un véritable gouffre financier à partir du moment où l'on s'occupe bien de lui !

— A partir du moment où l'on s'occupe bien de lui..., avait répété Connor avec une amertume et une colère difficiles à contrôler.

— Tu comprends, Connor..., répéta son beau-père, nous nous sommes sacr...

— Inutile de vous fatiguer ! J'ai tout compris.

La rage au cœur, il avait pris la porte.

« Et voilà comment on détourne un héritage ! » s'était-il dit, furieux.

A présent, il allait devoir expliquer à Jasmine que l'argument qu'il avait avancé pour le mariage ne tenait plus.

Il avait été dupé.

Jasmine le croirait-elle, lorsqu'il lui expliquerait la situation ?

Lorsqu'il la croisa dans l'entrée, elle posa un baiser sur ses lèvres, un baiser particulièrement neutre.

Connor sentit son mal de tête empirer.

— Tu as eu une bonne journée ? demanda-t-elle machinalement.

Il la considéra douloureusement. Ses tempes lui faisaient l'effet de tambours martelés par des démons sans pitié.

— Pas vraiment, marmonna-t-il.

Ils entrèrent dans le salon et Connor se laissa tomber dans un fauteuil. C'était la première fois que Jasmine le voyait aussi tourmenté.

Après quelques échanges indécis, elle décida de mettre cartes sur table.

— Tu m'as menti, dit-elle sans préambule d'un ton hostile. Pourquoi ?

— A propos de quoi ?

— De pas mal de choses. Mais ce qui me tracasse, pour l'instant, c'est cette histoire d'héritage que tu as inventée pour m'ép…

— Ah ! On t'a mise au courant, l'interrompit-il, la main sur son front brûlant.

— En effet, on m'a expliqué que cette histoire d'héritage est une affabulation. Ta mère ne t'a rien laissé. Et tu t'es lâchement servi d'une prétendue clause du testament pour justifier notre mariage. C'est révoltant !

Connor poussa un long et douloureux soupir.

— Les choses sont un peu plus compliquées que cela…

— Et moi, j'ai été la dinde de la farce ! commenta Jasmine avec amertume. Oh ! comme j'ai été naïve de te croire lorsque tu m'as parlé de ce testament !

La tête vrillée par la douleur, Connor ferma les yeux un instant. Pour la première fois de sa vie, il se sentait dépassé par les événements.

— J'ai terriblement mal à la tête, dit-il à mi-voix, les yeux toujours fermés.

— Va donc te faire consoler chez une de tes maîtresses ! rétorqua-t-elle rageusement.

Il ouvrit les yeux et la dévisagea un moment, terrassé par l'injustice de la situation.

Avec effort, il se leva puis se dirigea vers la porte. Parvenu sur le seuil, il se retourna et répondit lentement :

— Eh bien, j'y vais de ce pas.

11.

Lorsque Connor eut disparu, Jasmine se prit la tête entre les mains et resta un long moment à réfléchir.

« J'y vais de ce pas. » La phrase de Connor était un véritable aveu. Il avait donc encore des maîtresses et pouvait à tout moment aller les retrouver.

Un jour passa sans qu'il donne de ses nouvelles, puis un autre.

Dans la soirée de ce deuxième jour, Jasmine décrocha le téléphone et composa d'un doigt nerveux le numéro du dispensaire. Elle annonça qu'elle ne se sentait pas très bien, et qu'elle souhaitait prendre quelques jours de repos. On lui répondit que cela ne posait pas de problème.

Un quart d'heure plus tard, elle roulait en direction de Pelican Head au volant de la deuxième voiture de Connor.

La vieille maison était plongée dans l'obscurité lorsqu'elle arriva et il y faisait froid. Jasmine frissonna.

Elle se dirigea vers la cheminée et craqua une allumette qu'elle tendit jusqu'au bois que Connor avait préparé avant leur départ. Les flammes jaillirent rapidement.

Les bras serrés sur son ventre, elle poussa un soupir et resta un long moment à regarder fixement les langues de feu jaunes et orangées qui dansaient dans l'âtre.

Les larmes aux yeux, elle songea qu'il allait bien falloir apprendre à vivre sans lui. Cela n'allait pas être simple...

Le lendemain matin, elle se rendit dans la pièce qu'elle aimait tant dans cette maison, la bibliothèque où elle avait déjà découvert des trésors.

Comme elle feuilletait des ouvrages au hasard, son attention fut attirée par une vieille bible.

Lorsqu'elle la prit, une photo s'échappa des pages et voleta jusqu'au sol. Jasmine la ramassa et arrondit les yeux, stupéfaite : c'était un cliché d'elle âgée seulement de quelques mois !

Elle se souvenait de cette photo dont le double se trouvait dans un album que sa mère lui avait offert pour ses dix ans.

Mais comment se pouvait-il que cette photo soit dans cette maison ? Qui donc avait pu la mettre là ?

En continuant son exploration, elle vit que d'autres photos d'elle étaient rangées — cachées ? — dans le livre saint. Elle reconnut, sur l'une d'elles, son visage d'enfant à un an.

Tandis qu'elle poursuivait sa recherche, le cœur battant à tout rompre, elle découvrit un petit livre à la couverture usée.

Intriguée, elle l'ouvrit. Il ne s'agissait pas d'un livre, mais d'un journal manuscrit.

Elle s'assit sur le divan poussiéreux, et commença sa lecture.

Aujourd'hui, je l'ai vue, ma chère enfant, mon cher trésor. Je l'ai enfin revue !

Elle se rendait à la plage et passait près de la maison. J'ai voulu l'appeler, mais je n'ai pas osé, car j'avais renoncé à lui faire signe depuis longtemps déjà.

Au moins, j'ai les photos d'elle. Elle me ressemble, ce qui, après tout, n'est que justice. Cette ressemblance, je suppose, doit passablement agacer l'évêque.

Lorsque j'aurai disparu, il faudra veiller sur elle. Elle est le trésor de ma vie, l'honneur de ma vie.

J'aurais voulu la garder mais, hélas ! on m'en a fermement dissuadée, et moi, je ne sais ce que je vais devenir...

Les mains tremblantes, Jasmine regardait ce poignant journal qui parlait manifestement d'elle.

Elle resta ainsi un long moment, profondément bouleversée, l'esprit agité par des doutes de plus en plus sérieux.

Enfin, elle se leva d'un mouvement brusque. Sa décision était prise. Dès demain, à la première heure, elle irait trouver ses parents pour connaître la vérité sur son origine.

C'est sa mère qui vint lui ouvrir, le lendemain matin. Elle avait encore sur la tête les ridicules bigoudis qu'elle portait pendant la nuit.

— Oh ! Jasmine ! s'exclama-t-elle, très surprise. Je suis contente de te voir.

— Bonjour, maman.

— Comment va Connor ? Ce mariage se passe bien ? Tu es heureuse, ma chère fille ?

Elles étaient entrées dans le salon. Jasmine dévisagea froidement sa mère et répondit sèchement :

— Tu sais bien que je ne suis pas ta fille.

La femme de l'évêque devint subitement pâle.

— Mais... mais... enfin, que dis-tu là ?

Jasmine sortit de sa poche la série de photos trouvées dans la maison de Pelican Head, mais laissa dans son sac le mystérieux journal intime.

— Ça ne te dit rien, ces photos ? demanda-t-elle en tendant les épreuves à sa mère.

Celle-ci les considéra une à une, puis les rendit à Jasmine en répondant sur un ton tragique :

— Je ne comprends pas comment tu as pu trouver ces documents...

Très mal à l'aise, elle ajouta d'une voix blanche :

— Il faut que j'aille au temple. Ton père m'y attend et...

— Je veux la vérité ! s'écria Jasmine. La vraie vérité ! Je ne partirai pas d'ici sans explications.

— Mais... ma chérie...

— Il n'y a pas de « mais ». Si tu ne réponds pas à la question que je te pose, j'irai droit à l'archevêché et je ferai un scandale. J'exige de savoir si je suis votre fille ou non !

A cet instant, l'évêque fit son apparition, comme s'il avait secrètement écouté la conversation et se décidait enfin à intervenir.

— Pourquoi viens-tu déranger ainsi ta mère ? questionna-t-il avec dureté.

— Je veux la vérité. Vous me devez la vérité.

— Depuis que tu es toute petite, on te l'apprend, la vérité. Mais tu es une rebelle, et tu ne sais pas toujours l'entendre...

— Ah non, père, pas de prêchi-prêcha ! Je ne suis pas là pour subir un nouveau sermon. Ce n'est pas de ces vérités-là dont je parle, toutes ces grandes vérités célestes dont vous faites profession. Je parle de la vérité de ma naissance.

Les parents de Jasmine échangèrent un regard qui en disait long sur leur état d'esprit.

— Je ne partirai pas d'ici avant de connaître le secret de ma naissance, assura-t-elle d'un ton ferme.

— Très bien, rétorqua l'homme d'Eglise en relevant le

menton. Mais je veux que tu promettes que ce que tu vas entendre ne sortira pas de cette pièce.

Le cœur battant, la respiration bloquée, Jasmine le fixait avec intensité.

L'évêque croisa dignement les mains, puis annonça, comme s'il présidait à des funérailles :

— Il est vrai que tu n'es pas notre fille sur le plan… biologique, dirai-je. Mais…

— Qui est ma mère ? l'interrompit-elle brusquement. Où est-elle ?

— Ta mère est morte. C'était une jeune droguée qui s'est retrouvée un jour enceinte. Elle t'a confiée à nous, puis elle a disparu dans la nature, Dieu sait où.

Jasmine eut la sensation que l'évêque ne lui disait pas la vérité.

— Et mon père ? insista-t-elle, bouleversée. C'était qui ?

— On n'en sait rien. Ta mère n'a jamais voulu le dire.

Un lourd silence se fit dans la pièce où ils se tenaient tous les trois : Jasmine, l'enfant naturelle, sa mère, avec ses bigoudis sur le crâne, et son père, le digne évêque représentant l'épiscopat de Sydney.

En fait, ils n'étaient ni sa mère ni son père. Jasmine venait de le comprendre.

C'est l'évêque qui rompit le silence en annonçant d'un ton grave :

— Je ne tiens pas à ce que tes sœurs soient mises au courant de tout cela. Tu comprends, elles pourraient être perturbées, et je ne veux pas leur faire de peine.

— Parce que moi, je ne risque pas d'être perturbée ? s'exclama Jasmine. Moi, je ne compte pas ? Vous m'avez menti pendant vingt-quatre ans, et vous vous imaginez que ça ne va pas me remuer le moins du monde, tous ces mensonges, tous ces non-dits, toute cette fausseté !

Elle marqua une pause, reprit son souffle, et lança sèchement, avec amertume :

— Quels beaux chrétiens vous faites, l'un et l'autre !

Puis elle tourna les talons et quitta la maison en claquant la porte.

Lorsqu'elle arriva chez Connor — chez elle —, elle remarqua la voiture de son mari.

— Jasmine, il faut que je te parle, dit-il dès qu'il la vit entrer.

Il la prit par le bras et l'accompagna jusqu'à un fauteuil du salon.

— Assieds-toi, ajouta-t-il, tendu. J'ai des choses importantes à te dire.

« Et moi donc ! » pensa-t-elle, l'esprit en tumulte.

— Je te demande pardon pour mon brusque départ de l'autre soir, marmonna-t-il. J'avais un mal de crâne épouvantable…

— Mal de crâne ou pas, tu m'as menti au sujet de l'héritage de ta mère. J'ai compris que cet héritage, en fait, n'était que du vent.

— Je ne l'ai appris que tout récemment, Jasmine. Mais ce que j'ai à te dire dépasse cette simple histoire d'héritage. Ce n'est pas pour toucher un éventuel héritage que j'ai voulu t'épouser.

Abasourdie par un tel aveu, elle le dévisagea avec stupeur.

— Pourquoi, alors, as-tu voulu m'épouser ?

— Parce que c'était toi.

135

— Je ne suis pas l'épouse idéale ! s'exclama-t-elle avec un petit rire en secouant la tête.

— Pour moi, si, assura-t-il avec une belle flamme dans le regard.

— Il y a des choses que tu ne sais pas, Connor, le prévint-elle. Je ne suis pas la fille de mes parents... Je veux dire : pas l'enfant de l'évêque et de sa femme. Je sors de chez eux. Ils m'ont avoué la vérité, et pas de gaieté de cœur.

Le visage très grave, Connor la considéra un moment.

— Sais-tu de qui tu es la fille, alors ?

— Non. Je ne sais pas.

— L'évêque ne t'a rien dit ? Ta mère adoptive non plus ?

— Non.

— Et tes sœurs ?

— Je ne pense pas qu'elles soient au courant.

Connor était allé prendre la bouteille de whisky et s'était servi un verre.

L'air très tourmenté, il but une rasade.

— J'ai l'impression de venir d'une autre planète, murmura Jasmine avec un sourire mélancolique.

— Je t'ai bien observée... Rassure-toi : ta peau n'est pas verte.

Ils rirent ensemble. Un peu détendu, Connor vint poser un baiser tendre sur son front.

— Il vaut mieux en rire qu'en pleurer..., chuchota Jasmine, les yeux brillants.

Connor avala une nouvelle gorgée de whisky.

— Je vais t'annoncer quelque chose qui ne te donnera pas envie de rire, malheureusement, dit-il en lui jetant un regard inquiet.

— Décidément, c'est le jour des grandes nouvelles, commenta-t-elle d'une voix qu'elle aurait voulue dégagée, mais qui tremblait légèrement. Je t'écoute.

— Tu sauras le secret de tes origines en allant trouver quelqu'un que tu connais… Je veux dire… que tu as bien connu, dit lentement Connor en pesant chacun de ses mots.

Jasmine eut l'impression que son cœur s'arrêtait de battre, puis qu'il repartait à toute allure.

— Qui ? Qui ? Qui ? cria-t-elle en *crescendo*, bouleversée.

— Roy Holden.

— Roy Holden ? Mais… pourquoi lui ? Que sait-il de ma vie ?

Elle s'était levée d'un bond et faisait face à Connor qui la fixait d'un air grave.

Comme il ne répondait pas, elle insista d'une voix brisée :

— Pourquoi Roy Holden ?

— Parce qu'il est ton père.

137

12.

Jasmine chancela sous le choc. Elle eut l'impression qu'elle allait s'évanouir.

La voyant vaciller, Connor l'aida à s'asseoir.

— Mon père ? répéta-t-elle d'une voix de mourante. *C'est mon père ?*

D'un signe de tête affirmatif, Connor lui fit comprendre qu'il n'y avait absolument aucun doute à ce propos.

— Comment as-tu pu savoir ? articula-t-elle dans un murmure.

— J'ai découvert la vérité il y a quelque temps, répondit-il, énigmatique.

Elle s'était pris la tête dans les mains et répétait :

— Mais ce n'est pas possible… Ce n'est pas possible…

Enfin elle essuya ses yeux mouillés de larmes et demanda anxieusement :

— Il est au courant ?

— Oui. Depuis le début.

Comme elle sentait la main de Connor se poser doucement sur son épaule, elle éclata en sanglots.

— Lorsque j'étais son élève, j'ai… j'ai ressenti quelque chose de très fort pour lui, balbutia-t-elle en pleurant. Inconsciemment, sans doute, je devinais qu'il était mon père.

— Tu as dû deviner quelque chose de particulier, c'est

vrai, dit gravement Connor, tandis qu'il essuyait une larme sur sa joue.

— Et ma mère ? C'était qui ? reprit-elle, chavirée. Tu le sais ?

Il fit un nouveau signe de la tête, lent et pensif.

— Oui.

— Oh ! dis-moi, je t'en prie…, supplia-t-elle en se tordant les mains.

— C'est Vanessa Byrne.

— Qui ?

— Vanessa Byrne. Ta « tante ». La sœur de l'évêque. Elle a toujours été une rebelle dans sa famille. Lorsqu'elle a été enceinte, ton père… je veux dire ton beau-père, a soigneusement étouffé le scandale. Il a adopté le bébé — toi — et a ordonné à sa sœur de ne plus jamais se montrer. Sous la pression familiale, elle a dû céder. Contrainte et forcée, elle t'a confiée à tes parents officiels.

— Mon Dieu ! murmura Jasmine d'une voix sourde.

Elle prit nerveusement un mouchoir en papier et essuya ses yeux et ses joues d'une main tremblante.

— Tu savais que c'était elle qui vivait dans cette vieille maison de Pelican Head ? interrogea-t-elle, les yeux rougis.

— Oui, je le savais.

— Alors… quand je passais à proximité, ma véritable mère pouvait me voir ! Et pendant toutes ces années, j'ai été si près d'elle, et si loin à la fois !

Secouée par de nouveaux sanglots, elle cacha encore son visage dans ses mains.

— Oh ! c'est… c'est fou ! bredouilla-t-elle, éperdue.

Connor la serrait à présent contre lui.

— Tu vois, dit-il doucement tout près de son oreille, ta véritable maman a pu te voir, tout au long de ces années, et ça l'a rendue heureuse dans son malheur. Tu as été la lumière de sa vie... Tu passais en trottinant, en sautillant, tout près de la vieille maison et elle te dévorait des yeux, derrière une fenêtre fermée.

— Et Roy Holden ? Et mon père ? Pourquoi ne s'est-il pas manifesté ?

— Au début, il n'a pas su que son aventure avec ta mère avait abouti à ta naissance. Puis il a fini par apprendre la vérité... Seulement il s'était marié, entre-temps, et avait un enfant. Comment aurait-il pu justifier ton existence ? C'eût été la fin de son couple. Alors il n'a rien dit, et la version officielle s'est imposée pour tout le monde : tu étais la fille de l'évêque et de sa femme. Ils t'ont élevée comme si tu étais leur enfant, et n'ont jamais révélé la vérité à quiconque.

— Donc, seul mon véritable père, Roy Holden, était au courant ? Sa femme ne savait rien de son secret ?

— Non. Il ne pouvait rien révéler sans tout casser dans la famille, à la fois de son côté, et du côté de la tienne.

Jasmine secoua lentement la tête, foudroyée.

— Oh ! les secrets de famille ! s'exclama-t-elle d'une voix étouffée. Tous ces non-dits, tous ces mensonges... Ça me tue, tout ça !

Connor la serra de nouveau dans ses bras, puis la dévisagea intensément.

— Non, Jasmine ! Tu es vivante. C'est cela, l'important. Mais je comprends que tu sois très secouée, très perturbée par ce que tu viens d'apprendre. Je pense qu'il serait raisonnable que tu ailles te reposer.

— Oui, je suis vidée..., murmura-t-elle faiblement.

— Je dormirai dans la chambre d'amis, dit-il en souriant tristement. Comme ça, tu seras tranquille...

— Merci, répondit-elle dans un souffle.

Ils demeurèrent quelques instants silencieux, puis Connor reprit calmement :

140

— Jasmine, tu sais… J'aimerais bien que nous parlions de l'avenir de notre mariage. Lorsque tu seras remise de tes émotions, bien sûr.

— Il faut d'abord que tu me dises où tu étais ces jours derniers. Chez qui as-tu dormi ?

— Chez une amie. Mais ne crois pas pour autant que…

— Notre mariage est sans avenir, Connor, décréta-t-elle d'une voix sans timbre.

Il garda la tête baissée un long moment, manifestement abattu.

— Je comprends, dit-il doucement.

— Je vais me coucher, maintenant, annonça-t-elle. Je suis à bout.

La semaine qui suivit ressembla pour Jasmine à un véritable cauchemar. Le pire moment fut la nouvelle confrontation qui eut lieu entre elle et ses parents — ses parents adoptifs.

Elle arriva chez eux sans se faire d'illusions et lorsqu'elle exigea une photo de sa mère, de sa véritable mère, on lui opposa un refus catégorique.

— Très bien, répondit-elle d'un ton sec. Puisque c'est ainsi, je vais raconter toute l'histoire à la presse. Ils seront ravis de ce rebondissement…

— Ne fais pas cela ! s'écria l'évêque, outré. Je te donnerai la photo que tu demandes, mais ne parle de ce scandale à personne !

Il darda sur elle un regard accusateur, un regard sans pitié.

— Décidément, tu nous auras empoisonné la vie jusqu'au bout, siffla-t-il entre ses dents.

— Elias ! s'exclama femme. Tu n'as pas le droit de lui parler ainsi !

Il garda cependant la mâchoire serrée, et une méchante flamme brûlait dans son regard.

Paralysée, Jasmine le dévisageait avec ébahissement. Elle ne l'avait jamais vu dans une telle rage.

« Et ça se prétend un homme de Dieu !... » pensa-t-elle, épouvantée.

— Ta mère a jeté le scandale dans la famille ! Elle a voulu vivre dans le péché, et elle l'a payé !

— Jasmine, n'en veux pas à ton père... Il ne sait plus ce qu'il dit. Ta maman a terriblement souffert de cette séparation entre elle et toi. Je lui ai envoyé des photos de toi de temps à autre, afin qu'elle sache qui tu étais, comment tu étais. Je me suis débrouillée pour qu'elle dispose de la vieille maison de Pelican Head, afin qu'elle puisse te voir, indirectement, lorsque tu étais là-bas...

— Et tu as fait cela sans mon consentement ! s'écria l'évêque en levant un doigt accusateur. C'est une honte !

— On ne peut pas trancher les liens entre une mère et son enfant ! plaida son épouse d'une voix émue. Cette pauvre femme me faisait pitié.

— Pas de pitié pour les créatures du démon ! Et Dieu, qui sait ce qu'Il fait, lui a envoyé le châtiment qu'elle méritait.

Les yeux agrandis par l'horreur, Jasmine regardait l'être abject qui avait usurpé toute sa vie un rôle de père auquel il n'avait pas droit.

— Quel châtiment ? demanda-t-elle, la respiration coupée.

C'est la femme de l'évêque qui répondit sur un ton désolé.

— Elle est morte après une sévère maladie des reins, et...

— La volonté du Tout-Puissant ! l'interrompit l'homme

d'Eglise, les yeux levés, comme en une transe de pure anagogie.

— Vous êtes un dangereux halluciné ! s'écria Jasmine, les yeux noyés de larmes, au comble de l'émotion. Vous êtes un imposteur !

Elle tourna brusquement les talons, se précipita vers la porte et la claqua de toutes ses forces derrière elle.

Lorsqu'elle arriva chez elle — c'est-à-dire chez Connor —, elle constata qu'il n'était pas là. Son instinct lui souffla qu'il devait être allé à Pelican Head.

Il fallait absolument qu'elle obtienne des explications de sa part. Des zones d'ombres subsistaient, et sans doute pourrait-il éclairer sa lanterne dans la découverte progressive de ses véritables origines.

Sans même prendre le temps de préparer un sac de voyage, elle courut jusqu'au garage et en sortit la deuxième voiture de Connor.

Moins de deux heures plus tard, elle poussait la porte de la vieille maison qui avait été, pendant un certain nombre d'années, celle de sa vraie mère.

Connor était debout dans le salon, un verre de whisky à la main.

— C'est toi ! s'exclama-t-il sans dissimuler son étonnement. A cette heure tardive !

— Il y a des choses que je ne comprends pas, dit-elle d'emblée. Par exemple, j'aimerais savoir comment tu as su que Roy Holden est mon père.

Il la considéra d'un air grave et but posément une gorgée de whisky avant de répondre calmement :

— Assieds-toi, je vais tout te raconter.

Lorsqu'elle fut assise, brûlante de curiosité, il enchaîna d'un ton plein de tendresse :

— C'est Vanessa qui me l'a dit. Vanessa, ta maman.

Elle le dévisagea, incrédule.

— Tu... tu l'as rencontrée ? demanda-t-elle, stupéfaite.

— Il y a trois ans. C'est un peu compliqué, mais je résume. Je connaissais — je connais — une vieille amie de ta maman, qui s'appelle Beryl Hoper, une dame d'un certain âge. Elle m'a expliqué que la femme de l'évêque avait permis à ta maman de louer cette maison de Pelican Head, de manière à ce qu'elle puisse t'apercevoir de temps à autre, car elle souffrait intensément de ne pas te connaître.

Jasmine essuya une larme qui venait de rouler sur sa joue, puis murmura d'une voix à peine audible :

— Continue.

— Ta maman, qui avait une grave maladie des reins, est morte à peu près trois mois avant le mariage de ta sœur où nous nous sommes rencontrés... où je t'ai vraiment découverte. Pendant la cérémonie, je ne pouvais détacher mes yeux de toi. Je savais la tragédie de ta vie, ce que toi tu ignorais encore. J'avais connu ta mère, mais je ne pouvais rien dire. Je n'en avais pas le droit. Et puis je n'avais pas vraiment fait ta connaissance...

Il s'interrompit, but encore une gorgée de whisky, puis dit d'un ton méditatif :

— Le destin...

— Que veux-tu dire ? insista-t-elle, le cœur battant.

— Le destin fait souvent bien les choses... C'est au cours de cette nuit qui a suivi le mariage de ta sœur que tu t'es trompée de chambre. Et tu es entrée dans mon lit...

— ... Et c'est là que notre aventure a commencé, poursuivit-elle, songeuse. Mais pourquoi ne m'as-tu rien dit, par la suite, de cette réalité que tu connaissais ?

Connor passa machinalement une main dans ses cheveux noirs.

— Plus d'une fois, j'ai failli tout te raconter, mais je me suis dit que je n'en avais pas le droit. A vrai dire, j'espérais que tu découvrirais par toi-même que tu n'étais pas la fille de l'évêque.

— Je me suis en effet souvent posé la question, enchaîna-t-elle, troublée. Une sorte d'instinct me soufflait à l'oreille que cet homme n'était pas mon père.

— Et puis tu ressemblais si peu à tes sœurs...

— Oh ! certainement... à tous points de vue !

Elle resta songeuse un moment, puis des larmes lui vinrent une nouvelle fois aux yeux, qu'elle essuya d'une main tremblante.

— Et dire que je n'ai jamais connu ma vraie mère !

— Mais elle, elle t'a connue, indirectement. Par tous les moyens, elle essayait d'avoir de tes nouvelles. Lorsqu'elle a appris que tu travaillais dans un établissement où s'effectue la réhabilitation des drogués et autres damnés de la terre, elle a pleuré de joie. C'est là qu'elle a compris à quel point vous étiez proches, elle et toi, même si vous ne vous étiez jamais rencontrées.

Certains éléments du puzzle de sa vie et de celle de sa mère manquaient encore. C'est la gorge serrée que Jasmine demanda :

— Mais dis-moi, Connor. Cette vieille maison où nous sommes... elle la louait ?

— Au début, oui. Puis elle a eu des difficultés financières, et je... j'ai racheté la maison au propriétaire, de manière à ce que ta maman puisse en disposer sans avoir à payer de loyer.

Emue par une telle générosité, elle posa sur Connor un regard différent.

L'homme qui était son mari, et qu'elle ne connaissait finalement qu'à peine, se révélait peu à peu au grand jour. Elle découvrait un personnage extraordinaire, non seulement à cause de son charme, de sa force, mais aussi de son cœur.

Dans un élan d'amour, elle se jeta dans ses bras.

Il la serra un moment contre lui, puis s'écarta un peu et reprit :

— Il faut que tu saches quelque chose, Jasmine, de manière à éviter tout malentendu, toute ambiguïté. Lorsque j'ai été absent de la maison, ces jours derniers, je n'étais pas chez l'une de mes anciennes maîtresses. Je suis allé trouver Beryl Hoper, la vieille dame dont je te parlais il y a un instant. Dans les moments difficiles de ma vie, c'est toujours elle qui a su me conseiller.

Il fit une pause, passa encore nerveusement une main dans ses cheveux, puis ajouta d'une voix vibrante, presque tremblante, tant il était ému :

— Tu sais, Jasmine... Je ne suis pas particulièrement fier de mon passé de coureur de jupons. C'est tellement facile, tellement bête de séduire, de passer d'une femme à l'autre... Et en définitive, ce n'est absolument pas satisfaisant ! Lorsque je t'ai aperçue, au temple, lors du mariage de ta sœur, il s'est produit en moi une sorte de déclic. Je me suis dit : « Voilà la femme de ma vie. » Je n'arrivais pas à détacher les yeux de toi. A partir de ce moment, j'ai su que j'allais tout faire pour t'épouser.

Stupéfaite, Jasmine le dévisageait intensément.

Il paraissait bouleversé, lui qui d'ordinaire savait garder parfaitement la maîtrise de soi. Elle crut même apercevoir comme un reflet de larmes dans ses yeux.

— Je t'aime, Jasmine, murmura-t-il.

— Je... je n'en crois pas mes... mes oreilles, balbutia-t-elle, complètement chavirée.

— Je t'aime depuis le début, comme jamais je n'ai aimé aucune femme. Je te le jure.

Elle lui tendit ses lèvres, et ils échangèrent le plus doux, le plus tendre, le plus merveilleux des baisers qui fût au monde.

Lorsqu'ils se séparèrent, Connor répéta avec une extraordinaire adoration :

— Je t'aime, je t'aime, Jasmine… Je te le répéterai toute ma vie.

— Je t'aime, Connor. Je t'ai aimé dès l'instant où j'ai compris que tu n'étais pas le personnage décrit par une certaine presse. Tu es le plus fabuleux des hommes ! Moi aussi, je te le redirai toute ma vie.

Épilogue

Connor, qui était en train de repeindre l'un des murs de la vieille maison, posa son pinceau lorsqu'il vit Jasmine gravir péniblement les marches du perron.

— Attends, je vais t'aider, dit-il en souriant.

Il courut jusqu'à elle, la prit dans ses bras et la transporta jusqu'à son fauteuil favori où il l'installa amoureusement.

— Comment te sens-tu ? demanda-t-il avec un soupçon d'inquiétude dans la voix.

Elle posa doucement les mains sur son ventre aussi arrondi qu'un globe terrestre.

— Ça va bien, assura-t-elle. La seule chose qui me préoccupe, c'est le dîner de ce soir.

On était à la veille de Noël, et Jasmine avait souhaité inviter Roy Holden et sa femme, afin de réconcilier, de reconstituer la famille, la vraie famille.

— J'espère que mon père va accepter de devenir grand-père aussi vite ! ajouta Jasmine avec appréhension.

— Roy est un homme intelligent, tu le sais bien. Tout va bien se passer, tu verras !

Elle baissa rêveusement les yeux sur son ventre et murmura :

— Il se peut que le bébé ait envie de voir à quoi ressemble le monde extérieur…

— Théoriquement, il ne doit pas arriver avant début janvier…

— Oh ! tu sais, les bébés, ils n'en font qu'à leur tête. S'ils ont envie de venir, ils viennent, assura Jasmine en riant.

— Il est vrai que s'il a un caractère aussi indépendant que sa mère, il n'attendra pas une quelconque autorisation pour débarquer !

— Mais s'il arrive dans les heures qui viennent, le dîner de Noël sera compromis !

Connor la considéra avec un regard plein de douceur et d'amour.

— C'est le bébé qui est important. Le dîner passe après, non ?

— C'est vrai, admit-elle, songeuse, les mains toujours bien à plat sur son ventre.

Sur la cheminée devant laquelle ils s'étaient tant aimés, et devant laquelle leur enfant avait été conçu, trônait une crèche amoureusement préparée par Jasmine.

On y distinguait les petits personnages légendaires, la Vierge Marie, saint Joseph, le bœuf, l'âne, réunis autour du minuscule berceau de paille où reposait l'Enfant Jésus.

Connor s'était remis à sa peinture, et Jasmine, toujours rêveuse, toujours heureuse, essayait d'imaginer le visage de son enfant qui n'allait pas tarder à naître.

Moins d'une heure plus tard, elle commença à ressentir les premières contractions.

— Je crois qu'il arrive, dit-elle paisiblement à Connor avec un sourire radieux.

En quelques minutes, ils furent prêts. La valise de Jasmine avait été soigneusement préparée quelque temps auparavant, au cas où.

Connor porta Jasmine jusqu'à la voiture après avoir mis

son bagage dans le coffre. La nuit tombait. Il leva les yeux vers le ciel, et remarqua gaiement :

— Oh ! Une étoile filante… Les mages ont dû se mettre en route. Allons-y, nous aussi.

Quelques heures plus tard, les visiteurs qui arrivèrent à la vieille maison de Pelican Head pour le dîner de Noël trouvèrent un mot qui avait été hâtivement rédigé, et punaisé sur la porte d'entrée.

« La maison est ouverte, entrez. Le dîner est prêt. Nous n'avons pas eu le temps de mettre la table, mais vous trouverez tout ce qu'il faut dans la salle à manger. Nous sommes désolés de ne pas être avec vous, mais il y a urgence ! »

C'est donc le 25 décembre, dans la nuit, que naquit Jennifer Vanessa Harrowsmith, un très joli bébé de plus de trois kilos et demi, qui se préparait tout simplement à combler de bonheur ses parents.

Elle avait le regard de son père, le caractère libre de sa mère, et le monde s'ouvrait joyeusement à elle.

Le nouveau visage
de la collection Or

◆

AMOURS D'AUJOURD'HUI

Afin de mieux exprimer sa modernité et de vous séduire encore davantage, votre collection Or a changé de couverture et de nom depuis le 1er mars 1995.

Rassurez-vous, les romans, eux, ne changent pas, et vous pourrez retrouver dans la collection **Amours d'Aujourd'hui** tous vos auteurs préférés.

Comme chaque mois, en effet, vous y attendent des héros d'aujourd'hui, aux prises avec des passions fortes et des situations difficiles...

**COLLECTION
AMOURS D'AUJOURD'HUI :**
Quand l'amour guérit des blessures de la vie...

Chère lectrice,

Vous nous êtes fidèle depuis longtemps?
Vous venez de faire notre connaissance?

C'est pour votre plaisir que nous avons
imaginé un rendez-vous chaque mois
avec vos auteurs préférés, vos
AUTEURS VEDETTE dans les
collections Azur et Horizon.

Les AUTEURS VEDETTE vous
donneront rendez-vous pour de
nouveaux livres vedette.

Pour les reconnaître, cherchez
l'étoile... Elle vous guidera!

Éditions Harlequin

AUT-R-R

HARLEQUIN

LE FORUM DES LECTEURS ET LECTRICES

CHERS(ES) LECTEURS ET LECTRICES,

VOUS NOUS ETES FIDÈLES DEPUIS LONGTEMPS?

VOUS VENEZ DE FAIRE NOTRE CONNAISSANCE?

SI VOUS AVEZ DES COMMENTAIRES, DES CRITIQUES À
FORMULER, DES SUGGESTIONS À OFFRIR, N'HÉSITEZ
PAS... ÉCRIVEZ-NOUS À:
>LES ENTERPRISES HARLEQUIN LTÉE.
>498 RUE ODILE
>FABREVILLE, LAVAL, QUÉBEC.
>H7R 5X1

C'EST AVEC VOS PRÉCIEUX COMMENTAIRES QUE NOUS
ALLONS POUVOIR MIEUX VOUS SERVIR.

DE PLUS, SI VOUS DÉSIREZ RECEVOIR UNE OU
PLUSIEURS DE VOS SÉRIES HARLEQUIN PRÉFÉRÉE(S)
À VOTRE DOMICILE, NE TARDEZ PAS À CONTACTER LE
SERVICE D'ABONNEMENT; EN APPELANT AU
(514) 875-4444 (RÉGION DE MONTRÉAL) OU 1-800-667-4444
(EXTÉRIEUR DE MONTRÉAL) OU TÉLÉCOPIEUR
(514) 523-4444 OU COURRIER ELECTRONIQUE:
AQCOURRIER@ABONNEMENT.QC.CA OU EN ÉCRIVANT À:
>ABONNEMENT QUÉBEC
>525 RUE LOUIS-PASTEUR
>BOUCHERVILLE, QUÉBEC
>J4B 8E7

MERCI, À L'AVANCE, DE VOTRE COOPÉRATION.

BONNE LECTURE.

HARLEQUIN.

VOTRE PASSEPORT POUR LE MONDE DE L'AMOUR.

ROUGE PASSION

De fiévreuses histoires d'amour sensuelles!

De provocantes histoires d'amour passionnées et romantiques qu'on lit d'une seule traite. Aventureuses, parfois humoristiques, et sensuelles, elles mettent en vedette des hommes et des femmes d'aujourd'hui.

ROUGE PASSION... trois nouveaux titres chaque mois.

GEN-RP-R

COLLECTION
HORIZON

Des histoires d'amour romantiques qui vous mènent au bout du monde!

Découvrez la passion et les vives émotions qu'apportent à la Collection Horizon des auteurs de renommée internationale!

Captivantes, voire irrésistibles, ces histoires d'amour vous iront assurément droit au coeur.

Surveillez nos trois nouveaux titres chaque mois!

I

HARLEQUIN

COLLECTION
ROUGE PASSION

- Des héroïnes émancipées.
- Des héros qui savent aimer.
- Des situations modernes et réalistes.
- Des histoires d'amour sensuelles et provocantes.

LAISSEZ-VOUS TENTER
par 3 titres irrésistibles
chaque mois.

RP-1-R

L'ASTROLOGIE EN DIRECT
TOUT AU LONG
DE L'ANNÉE.

(France métropolitaine uniquement)
Par téléphone 08.92.68.41.01
0,34 € la minute (Serveur JET MULTIMÉDIA).

Composé et édité par les
éditions Harlequin
Achevé d'imprimer en avril 2006

BUSSIÈRE
GROUPE CPI

à Saint-Amand-Montrond (Cher)
Dépôt légal : mai 2006
N° d'imprimeur : 60604 — N° d'éditeur : 12054

Imprimé en France